FAST LEARNING – MEI
WORKBOOK

MW01091988

MULTIPLICATION
MADE EASY
ONE SHEET A DAY
PRACTICE WORKSHEETS

ISBN: 978-0-9997408-2-8

Table of Contents

Multiplication Made Easy

1 X			
1	× 1	=	1
1	× 2	=	2
1	× 3	=	3
1	× 4	=	4
1	× 5	=	5
1	× 6	=	6
1	× 7	=	7
1	× 8	=	8
1	× 9	=	9
1	× 10	=	10

2 X			
2	× 1	=	2
2	× 2	=	4
2	× 3	=	6
2	× 4	=	8
2	× 5	=	10
2	× 6	=	12
2	× 7	=	14
2	× 8	=	16
2	× 9	=	18
2	× 10	=	20

3 X			
3	× 1	=	3
3	× 2	=	6
3	× 3	=	9
3	× 4	=	12
3	× 5	=	15
3	× 6	=	18
3	× 7	=	21
3	× 8	=	24
3	× 9	=	27
3	× 10	=	30

4 X			
4	× 1	=	4
4	× 2	=	8
4	× 3	=	12
4	× 4	=	16
4	× 5	=	20
4	× 6	=	24
4	× 7	=	28
4	× 8	=	32
4	× 9	=	36
4	× 10	=	40

5 X			
5	× 1	=	5
5	× 2	=	10
5	× 3	=	15
5	× 4	=	20
5	× 5	=	25
5	× 6	=	30
5	× 7	=	35
5	× 8	=	40
5	× 9	=	45
5	× 10	=	50

6 X			
6	× 1	=	6
6	× 2	=	12
6	× 3	=	18
6	× 4	=	24
6	× 5	=	30
6	× 6	=	36
6	× 7	=	42
6	× 8	=	48
6	× 9	=	54
6	× 10	=	60

7 X			
7	× 1	=	7
7	× 2	=	14
7	× 3	=	21
7	× 4	=	28
7	× 5	=	35
7	× 6	=	42
7	× 7	=	49
7	× 8	=	56
7	× 9	=	63
7	× 10	=	70

8 X			
8	× 1	=	8
8	× 2	=	16
8	× 3	=	24
8	× 4	=	32
8	× 5	=	40
8	× 6	=	48
8	× 7	=	56
8	× 8	=	64
8	× 9	=	72
8	× 10	=	80

9 X			
9	× 1	=	9
9	× 2	=	18
9	× 3	=	27
9	× 4	=	36
9	× 5	=	45
9	× 6	=	54
9	× 7	=	63
9	× 8	=	72
9	× 9	=	81
9	× 10	=	90

10 X			
10	× 1	=	10
10	× 2	=	20
10	× 3	=	30
10	× 4	=	40
10	× 5	=	50
10	× 6	=	60
10	× 7	=	70
10	× 8	=	80
10	× 9	=	90
10	× 10	=	100

11 X			
11	× 1	=	11
11	× 2	=	22
11	× 3	=	33
11	× 4	=	44
11	× 5	=	55
11	× 6	=	66
11	× 7	=	77
11	× 8	=	88
11	× 9	=	99
11	× 10	=	110

12 X			
12	× 1	=	12
12	× 2	=	24
12	× 3	=	36
12	× 4	=	48
12	× 5	=	60
12	× 6	=	72
12	× 7	=	84
12	× 8	=	96
12	× 9	=	108
12	× 10	=	120

13 X				
13	×	1	=	13
13	×	2	=	26
13	×	3	=	39
13	×	4	=	52
13	×	5	=	65
13	×	6	=	78
13	×	7	=	91
13	×	8	=	104
13	×	9	=	117
13	×	10	=	130

14 X				
14	×	1	=	14
14	×	2	=	28
14	×	3	=	42
14	×	4	=	56
14	×	5	=	70
14	×	6	=	84
14	×	7	=	98
14	×	8	=	112
14	×	9	=	126
14	×	10	=	140

15 X				
15	×	1	=	15
15	×	2	=	30
15	×	3	=	45
15	×	4	=	60
15	×	5	=	75
15	×	6	=	90
15	×	7	=	105
15	×	8	=	120
15	×	9	=	135
15	×	10	=	150

16 X				
16	×	1	=	16
16	×	2	=	32
16	×	3	=	48
16	×	4	=	64
16	×	5	=	80
16	×	6	=	96
16	×	7	=	112
16	×	8	=	128
16	×	9	=	144
16	×	10	=	160

17 X				
17	×	1	=	17
17	×	2	=	34
17	×	3	=	51
17	×	4	=	68
17	×	5	=	85
17	×	6	=	102
17	×	7	=	119
17	×	8	=	136
17	×	9	=	153
17	×	10	=	170

18 X				
18	×	1	=	18
18	×	2	=	36
18	×	3	=	54
18	×	4	=	72
18	×	5	=	90
18	×	6	=	108
18	×	7	=	126
18	×	8	=	144
18	×	9	=	162
18	×	10	=	180

19 X				
19	×	1	=	19
19	×	2	=	38
19	×	3	=	57
19	×	4	=	76
19	×	5	=	95
19	×	6	=	114
19	×	7	=	133
19	×	8	=	152
19	×	9	=	171
19	×	10	=	190

20 X				
20	×	1	=	20
20	×	2	=	40
20	×	3	=	60
20	×	4	=	80
20	×	5	=	100
20	×	6	=	120
20	×	7	=	140
20	×	8	=	160
20	×	9	=	180
20	×	10	=	200

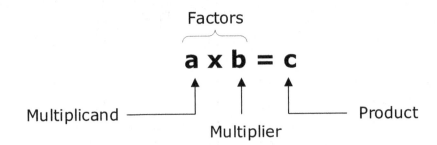

Numbers to be multiplied are called the **multiplier** and the **multiplicand**, or they are sometimes both called "factors." The result of multiplication is called a "product."

Date: _____   Start: _____   Finish: _____   Score: _____

1. 3 X 2 = _____   2. 3 X 3 = _____   3. 3 X 8 = _____

4. 3 X 9 = _____   5. 3 X 5 = _____   6. 3 X 6 = _____

7. 3 X 7 = _____   8. 3 X 4 = _____   9. 3 X 10 = _____

10. 3 X 9 = _____   11. 3 X 8 = _____   12. 3 X 3 = _____

13. 3 X 7 = _____   14. 3 X 10 = _____ 15. 3 X 4 = _____

16. 3 X 5 = _____   17. 3 X 2 = _____   18. 3 X 6 = _____

19. 3 X 7 = _____   20. 3 X 9 = _____   21. 3 X 5 = _____

22. 3 X 6 = _____   23. 3 X 3 = _____   24. 3 X 2 = _____

25. 3 X 8 = _____   26. 3 X 10 = _____ 27. 3 X 4 = _____

28. 3 X 10 = _____ 29. 3 X 6 = _____   30. 3 X 5 = _____

31. 3 X 3 = _____   32. 3 X 2 = _____   33. 3 X 8 = _____

34. 3 X 9 = _____   35. 3 X 4 = _____   36. 3 X 7 = _____

37. 3 X 9 = _____   38. 3 X 5 = _____   39. 3 X 4 = _____

40. 3 X 7 = _____   41. 3 X 8 = _____   42. 3 X 6 = _____

43. 3 X 2 = _____   44. 3 X 10 = _____ 45. 3 X 3 = _____

Practice: Multiplication Table 3

Date: _____   Start: _____   Finish: _____   Score: _____

(1) 3 X 4 = ☐		(2) 3 X 6 = ☐		(3) 3 X 5 = ☐	
(4) 3 X 3 = ☐		(5) 3 X 8 = ☐		(6) 3 X 7 = ☐	
(7) 3 X 10 = ☐		(8) 3 X 2 = ☐		(9) 3 X 9 = ☐	
(10) 3 X 2 = ☐		(11) 3 X 9 = ☐		(12) 3 X 8 = ☐	
(13) 3 X 7 = ☐		(14) 3 X 6 = ☐		(15) 3 X 5 = ☐	
(16) 3 X 4 = ☐		(17) 3 X 3 = ☐		(18) 3 X 10 = ☐	
(19) 3 X 9 = ☐		(20) 3 X 3 = ☐		(21) 3 X 8 = ☐	
(22) 3 X 5 = ☐		(23) 3 X 7 = ☐		(24) 3 X 6 = ☐	
(25) 3 X 2 = ☐		(26) 3 X 10 = ☐		(27) 3 X 4 = ☐	
(28) 3 X 6 = ☐		(29) 3 X 9 = ☐		(30) 3 X 10 = ☐	
(31) 3 X 3 = ☐		(32) 3 X 4 = ☐		(33) 3 X 8 = ☐	
(34) 3 X 2 = ☐		(35) 3 X 7 = ☐		(36) 3 X 5 = ☐	
(37) 3 X 9 = ☐		(38) 3 X 5 = ☐		(39) 3 X 2 = ☐	
(40) 3 X 6 = ☐		(41) 3 X 3 = ☐		(42) 3 X 8 = ☐	
(43) 3 X 7 = ☐		(44) 3 X 10 = ☐		(45) 3 X 4 = ☐	

Multiplication Made Easy

Date: _____   Start: _____   Finish: _____   Score: _____

(1) 4 X 8 = _____   (2) 4 X 6 = _____   (3) 4 X 4 = _____

(4) 4 X 5 = _____   (5) 4 X 2 = _____   (6) 4 X 10 = _____

(7) 4 X 7 = _____   (8) 4 X 3 = _____   (9) 4 X 9 = _____

(10) 4 X 6 = _____   (11) 4 X 3 = _____   (12) 4 X 4 = _____

(13) 4 X 8 = _____   (14) 4 X 5 = _____   (15) 4 X 7 = _____

(16) 4 X 10 = _____   (17) 4 X 9 = _____   (18) 4 X 2 = _____

(19) 4 X 5 = _____   (20) 4 X 8 = _____   (21) 4 X 4 = _____

(22) 4 X 7 = _____   (23) 4 X 10 = _____   (24) 4 X 6 = _____

(25) 4 X 3 = _____   (26) 4 X 2 = _____   (27) 4 X 9 = _____

(28) 4 X 10 = _____   (29) 4 X 4 = _____   (30) 4 X 8 = _____

(31) 4 X 3 = _____   (32) 4 X 9 = _____   (33) 4 X 7 = _____

(34) 4 X 6 = _____   (35) 4 X 5 = _____   (36) 4 X 2 = _____

(37) 4 X 9 = _____   (38) 4 X 2 = _____   (39) 4 X 10 = _____

(40) 4 X 7 = _____   (41) 4 X 4 = _____   (42) 4 X 8 = _____

(43) 4 X 5 = _____   (44) 4 X 6 = _____   (45) 4 X 3 = _____

Practice: Multiplication Table 4

Date: _____   Start: _____   Finish: _____   Score: _____

1 4 X 5 = ☐	**2** 4 X 10 = ☐	**3** 4 X 4 = ☐
4 4 X 6 = ☐	**5** 4 X 7 = ☐	**6** 4 X 2 = ☐
7 4 X 9 = ☐	**8** 4 X 3 = ☐	**9** 4 X 8 = ☐
10 4 X 4 = ☐	**11** 4 X 7 = ☐	**12** 4 X 10 = ☐
13 4 X 8 = ☐	**14** 4 X 2 = ☐	**15** 4 X 3 = ☐
16 4 X 6 = ☐	**17** 4 X 5 = ☐	**18** 4 X 9 = ☐
19 4 X 3 = ☐	**20** 4 X 7 = ☐	**21** 4 X 9 = ☐
22 4 X 5 = ☐	**23** 4 X 2 = ☐	**24** 4 X 6 = ☐
25 4 X 4 = ☐	**26** 4 X 8 = ☐	**27** 4 X 10 = ☐
28 4 X 6 = ☐	**29** 4 X 10 = ☐	**30** 4 X 4 = ☐
31 4 X 8 = ☐	**32** 4 X 5 = ☐	**33** 4 X 3 = ☐
34 4 X 9 = ☐	**35** 4 X 7 = ☐	**36** 4 X 2 = ☐
37 4 X 4 = ☐	**38** 4 X 10 = ☐	**39** 4 X 9 = ☐
40 4 X 3 = ☐	**41** 4 X 8 = ☐	**42** 4 X 5 = ☐
43 4 X 6 = ☐	**44** 4 X 2 = ☐	**45** 4 X 7 = ☐

Multiplication Made Easy

Date: _____ Start: _____ Finish: _____ Score: _____

1 4 X 9 =

2 4 X 8 =

3 4 X 5 =

4 4 X 6 =

5 4 X 10 =

6 4 X 7 =

7 4 X 4 =

8 4 X 2 =

9 4 X 3 =

10 4 X 10 =

11 4 X 2 =

12 4 X 5 =

13 4 X 4 =

14 4 X 3 =

15 4 X 9 =

16 4 X 6 =

17 4 X 7 =

18 4 X 8 =

19 4 X 2 =

20 4 X 6 =

21 4 X 5 =

22 4 X 8 =

23 4 X 3 =

24 4 X 7 =

25 4 X 9 =

26 4 X 4 =

27 4 X 10 =

28 4 X 5 =

29 4 X 6 =

30 4 X 9 =

31 4 X 3 =

32 4 X 8 =

33 4 X 10 =

34 4 X 7 =

35 4 X 2 =

36 4 X 4 =

37 4 X 9 =

38 4 X 3 =

39 4 X 2 =

40 4 X 7 =

41 4 X 4 =

42 4 X 8 =

43 4 X 10 =

44 4 X 6 =

45 4 X 5 =

Practice: Multiplication Table 5

Date: _____ Start: _____ Finish: _____ Score: _____

1 5 X 4 = ☐   2 5 X 3 = ☐   3 5 X 6 = ☐

4 5 X 10 = ☐   5 5 X 9 = ☐   6 5 X 7 = ☐

7 5 X 8 = ☐   8 5 X 2 = ☐   9 5 X 5 = ☐

10 5 X 8 = ☐   11 5 X 2 = ☐   12 5 X 7 = ☐

13 5 X 4 = ☐   14 5 X 6 = ☐   15 5 X 3 = ☐

16 5 X 9 = ☐   17 5 X 10 = ☐   18 5 X 5 = ☐

19 5 X 9 = ☐   20 5 X 4 = ☐   21 5 X 8 = ☐

22 5 X 10 = ☐   23 5 X 5 = ☐   24 5 X 3 = ☐

25 5 X 2 = ☐   26 5 X 7 = ☐   27 5 X 6 = ☐

28 5 X 5 = ☐   29 5 X 3 = ☐   30 5 X 9 = ☐

31 5 X 7 = ☐   32 5 X 4 = ☐   33 5 X 8 = ☐

34 5 X 10 = ☐   35 5 X 6 = ☐   36 5 X 2 = ☐

37 5 X 6 = ☐   38 5 X 10 = ☐   39 5 X 7 = ☐

40 5 X 3 = ☐   41 5 X 5 = ☐   42 5 X 9 = ☐

43 5 X 8 = ☐   44 5 X 2 = ☐   45 5 X 4 = ☐

Multiplication Made Easy

Date: _____   Start: _____   Finish: _____   Score: _____

(1) 5 X 7 = ☐   (2) 5 X 10 = ☐   (3) 5 X 6 = ☐

(4) 5 X 8 = ☐   (5) 5 X 4 = ☐   (6) 5 X 9 = ☐

(7) 5 X 2 = ☐   (8) 5 X 5 = ☐   (9) 5 X 3 = ☐

(10) 5 X 9 = ☐   (11) 5 X 8 = ☐   (12) 5 X 5 = ☐

(13) 5 X 3 = ☐   (14) 5 X 7 = ☐   (15) 5 X 10 = ☐

(16) 5 X 4 = ☐   (17) 5 X 6 = ☐   (18) 5 X 2 = ☐

(19) 5 X 8 = ☐   (20) 5 X 5 = ☐   (21) 5 X 7 = ☐

(22) 5 X 4 = ☐   (23) 5 X 2 = ☐   (24) 5 X 6 = ☐

(25) 5 X 9 = ☐   (26) 5 X 3 = ☐   (27) 5 X 10 = ☐

(28) 5 X 4 = ☐   (29) 5 X 8 = ☐   (30) 5 X 7 = ☐

(31) 5 X 9 = ☐   (32) 5 X 6 = ☐   (33) 5 X 2 = ☐

(34) 5 X 3 = ☐   (35) 5 X 10 = ☐   (36) 5 X 5 = ☐

(37) 5 X 4 = ☐   (38) 5 X 2 = ☐   (39) 5 X 7 = ☐

(40) 5 X 5 = ☐   (41) 5 X 10 = ☐   (42) 5 X 8 = ☐

(43) 5 X 3 = ☐   (44) 5 X 9 = ☐   (45) 5 X 6 = ☐

Practice: Multiplication Table 5

Date: _____   Start: _____   Finish: _____   Score: _____

1 5 X 5 = [ ]   **2** 5 X 7 = [ ]   **3** 5 X 10 = [ ]

4 5 X 9 = [ ]   **5** 5 X 8 = [ ]   **6** 5 X 2 = [ ]

7 5 X 4 = [ ]   **8** 5 X 6 = [ ]   **9** 5 X 3 = [ ]

10 5 X 5 = [ ]   **11** 5 X 6 = [ ]   **12** 5 X 8 = [ ]

13 5 X 7 = [ ]   **14** 5 X 2 = [ ]   **15** 5 X 4 = [ ]

16 5 X 9 = [ ]   **17** 5 X 3 = [ ]   **18** 5 X 10 = [ ]

19 5 X 6 = [ ]   **20** 5 X 5 = [ ]   **21** 5 X 10 = [ ]

22 5 X 9 = [ ]   **23** 5 X 4 = [ ]   **24** 5 X 2 = [ ]

25 5 X 8 = [ ]   **26** 5 X 7 = [ ]   **27** 5 X 3 = [ ]

28 5 X 8 = [ ]   **29** 5 X 6 = [ ]   **30** 5 X 3 = [ ]

31 5 X 10 = [ ]   **32** 5 X 9 = [ ]   **33** 5 X 7 = [ ]

34 5 X 5 = [ ]   **35** 5 X 4 = [ ]   **36** 5 X 2 = [ ]

37 5 X 10 = [ ]   **38** 5 X 6 = [ ]   **39** 5 X 9 = [ ]

40 5 X 8 = [ ]   **41** 5 X 3 = [ ]   **42** 5 X 2 = [ ]

43 5 X 7 = [ ]   **44** 5 X 5 = [ ]   **45** 5 X 4 = [ ]

Multiplication Made Easy

Review: Multiplication Table 2 to 5 Mixed

Date: _____   Start: _____   Finish: _____   Score: _____

1. 3 X 2 = ____
2. 5 X 8 = ____
3. 4 X 5 = ____
4. 2 X 6 = ____
5. 5 X 10 = ____
6. 4 X 4 = ____
7. 2 X 3 = ____
8. 3 X 7 = ____
9. 2 X 9 = ____
10. 3 X 6 = ____
11. 4 X 2 = ____
12. 5 X 10 = ____
13. 4 X 9 = ____
14. 3 X 8 = ____
15. 2 X 5 = ____
16. 5 X 7 = ____
17. 4 X 3 = ____
18. 5 X 4 = ____
19. 2 X 6 = ____
20. 3 X 2 = ____
21. 5 X 9 = ____
22. 2 X 7 = ____
23. 3 X 8 = ____
24. 4 X 5 = ____
25. 5 X 4 = ____
26. 3 X 3 = ____
27. 4 X 10 = ____
28. 2 X 5 = ____
29. 5 X 2 = ____
30. 2 X 10 = ____
31. 3 X 6 = ____
32. 4 X 4 = ____
33. 3 X 3 = ____
34. 4 X 8 = ____
35. 2 X 7 = ____
36. 5 X 9 = ____
37. 2 X 3 = ____
38. 3 X 9 = ____
39. 4 X 7 = ____
40. 5 X 4 = ____
41. 3 X 8 = ____
42. 2 X 2 = ____
43. 5 X 10 = ____
44. 4 X 5 = ____
45. 2 X 6 = ____

Copyright © Mathyz Learning

Review: Multiplication Table 2 to 5 Mixed

Date: _____   Start: _____   Finish: _____   Score: _____

1 2 X 10 = _____   2 3 X 3 = _____   3 5 X 9 = _____

4 4 X 5 = _____   5 3 X 8 = _____   6 5 X 4 = _____

7 4 X 2 = _____   8 2 X 6 = _____   9 4 X 7 = _____

10 3 X 5 = _____   11 5 X 8 = _____   12 2 X 3 = _____

13 4 X 7 = _____   14 5 X 2 = _____   15 2 X 4 = _____

16 3 X 10 = _____   17 4 X 9 = _____   18 5 X 6 = _____

19 2 X 10 = _____   20 3 X 4 = _____   21 2 X 5 = _____

22 5 X 8 = _____   23 4 X 9 = _____   24 3 X 7 = _____

25 2 X 3 = _____   26 5 X 2 = _____   27 4 X 6 = _____

28 3 X 5 = _____   29 2 X 8 = _____   30 3 X 6 = _____

31 5 X 3 = _____   32 4 X 10 = _____   33 5 X 4 = _____

34 4 X 2 = _____   35 2 X 9 = _____   36 3 X 7 = _____

37 5 X 5 = _____   38 2 X 6 = _____   39 4 X 3 = _____

40 3 X 10 = _____   41 4 X 2 = _____   42 5 X 7 = _____

43 2 X 8 = _____   44 3 X 4 = _____   45 2 X 9 = _____

Multiplication Made Easy

Date: _____   Start: _____   Finish: _____   Score: _____

1) 4 X 9 = ____   2) 3 X 7 = ____   3) 5 X 10 = ____

4) 2 X 4 = ____   5) 5 X 8 = ____   6) 3 X 2 = ____

7) 4 X 6 = ____   8) 2 X 5 = ____   9) 3 X 3 = ____

10) 5 X 4 = ____   11) 4 X 2 = ____   12) 2 X 8 = ____

13) 4 X 7 = ____   14) 3 X 6 = ____   15) 2 X 10 = ____

16) 5 X 5 = ____   17) 3 X 3 = ____   18) 4 X 9 = ____

19) 2 X 10 = ____   20) 5 X 7 = ____   21) 3 X 4 = ____

22) 4 X 6 = ____   23) 5 X 8 = ____   24) 2 X 9 = ____

25) 5 X 3 = ____   26) 4 X 2 = ____   27) 2 X 5 = ____

28) 3 X 3 = ____   29) 4 X 6 = ____   30) 3 X 8 = ____

31) 2 X 7 = ____   32) 5 X 2 = ____   33) 2 X 9 = ____

34) 4 X 5 = ____   35) 5 X 4 = ____   36) 3 X 10 = ____

37) 4 X 8 = ____   38) 3 X 3 = ____   39) 2 X 10 = ____

40) 5 X 4 = ____   41) 2 X 6 = ____   42) 3 X 2 = ____

43) 5 X 7 = ____   44) 4 X 9 = ____   45) 2 X 5 = ____

Review: Multiplication Table 2 to 5 Mixed

Date: _____   Start: _____   Finish: _____   Score: _____

1	$2 \times 4 =$	2	$5 \times 6 =$	3	$4 \times 5 =$
4	$3 \times 7 =$	5	$2 \times 8 =$	6	$4 \times 3 =$
7	$5 \times 10 =$	8	$3 \times 9 =$	9	$2 \times 2 =$
10	$5 \times 7 =$	11	$4 \times 2 =$	12	$3 \times 6 =$
13	$4 \times 4 =$	14	$5 \times 3 =$	15	$3 \times 9 =$
16	$2 \times 5 =$	17	$3 \times 10 =$	18	$5 \times 8 =$
19	$2 \times 3 =$	20	$4 \times 4 =$	21	$3 \times 2 =$
22	$5 \times 5 =$	23	$4 \times 7 =$	24	$2 \times 8 =$
25	$4 \times 9 =$	26	$5 \times 6 =$	27	$2 \times 10 =$
28	$3 \times 6 =$	29	$2 \times 7 =$	30	$3 \times 9 =$
31	$5 \times 10 =$	32	$4 \times 8 =$	33	$5 \times 3 =$
34	$2 \times 2 =$	35	$3 \times 4 =$	36	$4 \times 5 =$
37	$2 \times 3 =$	38	$5 \times 9 =$	39	$3 \times 2 =$
40	$4 \times 4 =$	41	$3 \times 8 =$	42	$2 \times 6 =$
43	$5 \times 7 =$	44	$4 \times 5 =$	45	$3 \times 10 =$

Multiplication Made Easy

Date: _____   Start: _____   Finish: _____   Score: _____

1. $2 \times 8 =$ ☐

2. $4 \times 9 =$ ☐

3. $5 \times 2 =$ ☐

4. $3 \times 10 =$ ☐

5. $4 \times 4 =$ ☐

6. $5 \times 7 =$ ☐

7. $2 \times 5 =$ ☐

8. $3 \times 6 =$ ☐

9. $4 \times 3 =$ ☐

10. $5 \times 2 =$ ☐

11. $3 \times 3 =$ ☐

12. $2 \times 6 =$ ☐

13. $5 \times 10 =$ ☐

14. $3 \times 7 =$ ☐

15. $4 \times 5 =$ ☐

16. $2 \times 9 =$ ☐

17. $3 \times 4 =$ ☐

18. $5 \times 8 =$ ☐

19. $4 \times 5 =$ ☐

20. $2 \times 3 =$ ☐

21. $4 \times 4 =$ ☐

22. $3 \times 7 =$ ☐

23. $5 \times 9 =$ ☐

24. $2 \times 2 =$ ☐

25. $5 \times 8 =$ ☐

26. $3 \times 6 =$ ☐

27. $2 \times 10 =$ ☐

28. $4 \times 5 =$ ☐

29. $2 \times 3 =$ ☐

30. $3 \times 4 =$ ☐

31. $4 \times 10 =$ ☐

32. $5 \times 6 =$ ☐

33. $3 \times 7 =$ ☐

34. $4 \times 9 =$ ☐

35. $2 \times 8 =$ ☐

36. $5 \times 2 =$ ☐

37. $2 \times 5 =$ ☐

38. $3 \times 6 =$ ☐

39. $4 \times 10 =$ ☐

40. $5 \times 3 =$ ☐

41. $3 \times 2 =$ ☐

42. $5 \times 8 =$ ☐

43. $4 \times 9 =$ ☐

44. $2 \times 4 =$ ☐

45. $4 \times 7 =$ ☐

Practice: Multiplication Table 6

Date: _____   Start: _____   Finish: _____   Score: _____

(1) 6 X 8 = ☐   (2) 6 X 7 = ☐   (3) 6 X 2 = ☐

(4) 6 X 9 = ☐   (5) 6 X 5 = ☐   (6) 6 X 6 = ☐

(7) 6 X 4 = ☐   (8) 6 X 10 = ☐   (9) 6 X 3 = ☐

(10) 6 X 10 = ☐   (11) 6 X 7 = ☐   (12) 6 X 2 = ☐

(13) 6 X 9 = ☐   (14) 6 X 6 = ☐   (15) 6 X 3 = ☐

(16) 6 X 4 = ☐   (17) 6 X 8 = ☐   (18) 6 X 5 = ☐

(19) 6 X 6 = ☐   (20) 6 X 8 = ☐   (21) 6 X 4 = ☐

(22) 6 X 10 = ☐   (23) 6 X 7 = ☐   (24) 6 X 3 = ☐

(25) 6 X 9 = ☐   (26) 6 X 5 = ☐   (27) 6 X 2 = ☐

(28) 6 X 9 = ☐   (29) 6 X 4 = ☐   (30) 6 X 8 = ☐

(31) 6 X 5 = ☐   (32) 6 X 6 = ☐   (33) 6 X 2 = ☐

(34) 6 X 10 = ☐   (35) 6 X 3 = ☐   (36) 6 X 7 = ☐

(37) 6 X 3 = ☐   (38) 6 X 9 = ☐   (39) 6 X 8 = ☐

(40) 6 X 2 = ☐   (41) 6 X 7 = ☐   (42) 6 X 10 = ☐

(43) 6 X 6 = ☐   (44) 6 X 5 = ☐   (45) 6 X 4 = ☐

Multiplication Made Easy

Date: _____   Start: _____   Finish: _____   Score: _____

(1) 6 X 8 = ☐   (2) 6 X 4 = ☐   (3) 6 X 7 = ☐

(4) 6 X 3 = ☐   (5) 6 X 6 = ☐   (6) 6 X 10 = ☐

(7) 6 X 2 = ☐   (8) 6 X 5 = ☐   (9) 6 X 9 = ☐

(10) 6 X 4 = ☐   (11) 6 X 7 = ☐   (12) 6 X 5 = ☐

(13) 6 X 9 = ☐   (14) 6 X 10 = ☐   (15) 6 X 2 = ☐

(16) 6 X 3 = ☐   (17) 6 X 8 = ☐   (18) 6 X 6 = ☐

(19) 6 X 4 = ☐   (20) 6 X 3 = ☐   (21) 6 X 6 = ☐

(22) 6 X 9 = ☐   (23) 6 X 7 = ☐   (24) 6 X 5 = ☐

(25) 6 X 2 = ☐   (26) 6 X 8 = ☐   (27) 6 X 10 = ☐

(28) 6 X 8 = ☐   (29) 6 X 3 = ☐   (30) 6 X 9 = ☐

(31) 6 X 6 = ☐   (32) 6 X 7 = ☐   (33) 6 X 10 = ☐

(34) 6 X 4 = ☐   (35) 6 X 5 = ☐   (36) 6 X 2 = ☐

(37) 6 X 4 = ☐   (38) 6 X 7 = ☐   (39) 6 X 10 = ☐

(40) 6 X 8 = ☐   (41) 6 X 6 = ☐   (42) 6 X 3 = ☐

(43) 6 X 5 = ☐   (44) 6 X 2 = ☐   (45) 6 X 9 = ☐

Practice: Multiplication Table 6

Date: _____   Start: _____   Finish: _____   Score: _____

1 6 X 5 = [____]   **2** 6 X 4 = [____]   **3** 6 X 9 = [____]

4 6 X 8 = [____]   **5** 6 X 2 = [____]   **6** 6 X 6 = [____]

7 6 X 10 = [____]   **8** 6 X 7 = [____]   **9** 6 X 3 = [____]

10 6 X 8 = [____]   **11** 6 X 2 = [____]   **12** 6 X 10 = [____]

13 6 X 5 = [____]   **14** 6 X 9 = [____]   **15** 6 X 6 = [____]

16 6 X 3 = [____]   **17** 6 X 7 = [____]   **18** 6 X 4 = [____]

19 6 X 7 = [____]   **20** 6 X 10 = [____]   **21** 6 X 3 = [____]

22 6 X 9 = [____]   **23** 6 X 2 = [____]   **24** 6 X 5 = [____]

25 6 X 4 = [____]   **26** 6 X 8 = [____]   **27** 6 X 6 = [____]

28 6 X 5 = [____]   **29** 6 X 10 = [____]   **30** 6 X 3 = [____]

31 6 X 9 = [____]   **32** 6 X 2 = [____]   **33** 6 X 7 = [____]

34 6 X 8 = [____]   **35** 6 X 6 = [____]   **36** 6 X 4 = [____]

37 6 X 2 = [____]   **38** 6 X 10 = [____]   **39** 6 X 4 = [____]

40 6 X 8 = [____]   **41** 6 X 3 = [____]   **42** 6 X 5 = [____]

43 6 X 6 = [____]   **44** 6 X 9 = [____]   **45** 6 X 7 = [____]

Multiplication Made Easy

Date: _____   Start: _____   Finish: _____   Score: _____

1 7 X 5 = ☐   2 7 X 8 = ☐   3 7 X 9 = ☐
4 7 X 7 = ☐   5 7 X 6 = ☐   6 7 X 4 = ☐
7 7 X 2 = ☐   8 7 X 10 = ☐   9 7 X 3 = ☐
10 7 X 4 = ☐   11 7 X 8 = ☐   12 7 X 10 = ☐
13 7 X 5 = ☐   14 7 X 6 = ☐   15 7 X 3 = ☐
16 7 X 9 = ☐   17 7 X 7 = ☐   18 7 X 2 = ☐
19 7 X 4 = ☐   20 7 X 5 = ☐   21 7 X 2 = ☐
22 7 X 9 = ☐   23 7 X 8 = ☐   24 7 X 7 = ☐
25 7 X 3 = ☐   26 7 X 6 = ☐   27 7 X 10 = ☐
28 7 X 5 = ☐   29 7 X 6 = ☐   30 7 X 8 = ☐
31 7 X 2 = ☐   32 7 X 9 = ☐   33 7 X 7 = ☐
34 7 X 3 = ☐   35 7 X 10 = ☐   36 7 X 4 = ☐
37 7 X 6 = ☐   38 7 X 5 = ☐   39 7 X 9 = ☐
40 7 X 2 = ☐   41 7 X 4 = ☐   42 7 X 7 = ☐
43 7 X 8 = ☐   44 7 X 3 = ☐   45 7 X 10 = ☐

Copyright © Mathyz Learning

Practice: Multiplication Table 7

Date: _____   Start: _____   Finish: _____   Score: _____

1 7 X 8 = [ ]   2 7 X 5 = [ ]   3 7 X 3 = [ ]

4 7 X 9 = [ ]   5 7 X 7 = [ ]   6 7 X 4 = [ ]

7 7 X 6 = [ ]   8 7 X 2 = [ ]   9 7 X 10 = [ ]

10 7 X 2 = [ ]   11 7 X 6 = [ ]   12 7 X 4 = [ ]

13 7 X 8 = [ ]   14 7 X 3 = [ ]   15 7 X 5 = [ ]

16 7 X 7 = [ ]   17 7 X 10 = [ ]   18 7 X 9 = [ ]

19 7 X 10 = [ ]   20 7 X 6 = [ ]   21 7 X 9 = [ ]

22 7 X 7 = [ ]   23 7 X 5 = [ ]   24 7 X 2 = [ ]

25 7 X 8 = [ ]   26 7 X 3 = [ ]   27 7 X 4 = [ ]

28 7 X 3 = [ ]   29 7 X 6 = [ ]   30 7 X 8 = [ ]

31 7 X 10 = [ ]   32 7 X 9 = [ ]   33 7 X 7 = [ ]

34 7 X 4 = [ ]   35 7 X 2 = [ ]   36 7 X 5 = [ ]

37 7 X 3 = [ ]   38 7 X 2 = [ ]   39 7 X 4 = [ ]

40 7 X 9 = [ ]   41 7 X 10 = [ ]   42 7 X 5 = [ ]

43 7 X 6 = [ ]   44 7 X 7 = [ ]   45 7 X 8 = [ ]

Multiplication Made Easy

Date: _____   Start: _____   Finish: _____   Score: _____

(1) 7 X 9 = [ ]   (2) 7 X 7 = [ ]   (3) 7 X 6 = [ ]

(4) 7 X 5 = [ ]   (5) 7 X 4 = [ ]   (6) 7 X 3 = [ ]

(7) 7 X 10 = [ ]   (8) 7 X 8 = [ ]   (9) 7 X 2 = [ ]

(10) 7 X 8 = [ ]   (11) 7 X 9 = [ ]   (12) 7 X 3 = [ ]

(13) 7 X 7 = [ ]   (14) 7 X 2 = [ ]   (15) 7 X 6 = [ ]

(16) 7 X 10 = [ ]   (17) 7 X 4 = [ ]   (18) 7 X 5 = [ ]

(19) 7 X 9 = [ ]   (20) 7 X 4 = [ ]   (21) 7 X 2 = [ ]

(22) 7 X 6 = [ ]   (23) 7 X 5 = [ ]   (24) 7 X 8 = [ ]

(25) 7 X 10 = [ ]   (26) 7 X 7 = [ ]   (27) 7 X 3 = [ ]

(28) 7 X 8 = [ ]   (29) 7 X 7 = [ ]   (30) 7 X 6 = [ ]

(31) 7 X 9 = [ ]   (32) 7 X 2 = [ ]   (33) 7 X 4 = [ ]

(34) 7 X 3 = [ ]   (35) 7 X 10 = [ ]   (36) 7 X 5 = [ ]

(37) 7 X 7 = [ ]   (38) 7 X 3 = [ ]   (39) 7 X 4 = [ ]

(40) 7 X 2 = [ ]   (41) 7 X 5 = [ ]   (42) 7 X 8 = [ ]

(43) 7 X 10 = [ ]   (44) 7 X 9 = [ ]   (45) 7 X 6 = [ ]

Practice: Multiplication Table 8

Date: _____ Start: _____ Finish: _____ Score: _____

(1) 8 X 7 = [ ] (2) 8 X 10 = [ ] (3) 8 X 9 = [ ]

(4) 8 X 4 = [ ] (5) 8 X 8 = [ ] (6) 8 X 3 = [ ]

(7) 8 X 6 = [ ] (8) 8 X 5 = [ ] (9) 8 X 2 = [ ]

(10) 8 X 5 = [ ] (11) 8 X 9 = [ ] (12) 8 X 8 = [ ]

(13) 8 X 7 = [ ] (14) 8 X 6 = [ ] (15) 8 X 10 = [ ]

(16) 8 X 2 = [ ] (17) 8 X 3 = [ ] (18) 8 X 4 = [ ]

(19) 8 X 9 = [ ] (20) 8 X 8 = [ ] (21) 8 X 6 = [ ]

(22) 8 X 4 = [ ] (23) 8 X 7 = [ ] (24) 8 X 5 = [ ]

(25) 8 X 3 = [ ] (26) 8 X 10 = [ ] (27) 8 X 2 = [ ]

(28) 8 X 9 = [ ] (29) 8 X 4 = [ ] (30) 8 X 8 = [ ]

(31) 8 X 5 = [ ] (32) 8 X 2 = [ ] (33) 8 X 3 = [ ]

(34) 8 X 6 = [ ] (35) 8 X 7 = [ ] (36) 8 X 10 = [ ]

(37) 8 X 5 = [ ] (38) 8 X 7 = [ ] (39) 8 X 6 = [ ]

(40) 8 X 8 = [ ] (41) 8 X 3 = [ ] (42) 8 X 4 = [ ]

(43) 8 X 2 = [ ] (44) 8 X 10 = [ ] (45) 8 X 9 = [ ]

Multiplication Made Easy

Date: _____   Start: _____   Finish: _____   Score: _____

(1) 8 X 7 = ____   (2) 8 X 9 = ____   (3) 8 X 8 = ____

(4) 8 X 6 = ____   (5) 8 X 4 = ____   (6) 8 X 3 = ____

(7) 8 X 10 = ____   (8) 8 X 5 = ____   (9) 8 X 2 = ____

(10) 8 X 3 = ____   (11) 8 X 2 = ____   (12) 8 X 9 = ____

(13) 8 X 5 = ____   (14) 8 X 6 = ____   (15) 8 X 8 = ____

(16) 8 X 4 = ____   (17) 8 X 7 = ____   (18) 8 X 10 = ____

(19) 8 X 3 = ____   (20) 8 X 7 = ____   (21) 8 X 10 = ____

(22) 8 X 8 = ____   (23) 8 X 5 = ____   (24) 8 X 9 = ____

(25) 8 X 4 = ____   (26) 8 X 6 = ____   (27) 8 X 2 = ____

(28) 8 X 7 = ____   (29) 8 X 9 = ____   (30) 8 X 5 = ____

(31) 8 X 8 = ____   (32) 8 X 3 = ____   (33) 8 X 2 = ____

(34) 8 X 10 = ____   (35) 8 X 6 = ____   (36) 8 X 4 = ____

(37) 8 X 7 = ____   (38) 8 X 9 = ____   (39) 8 X 3 = ____

(40) 8 X 2 = ____   (41) 8 X 5 = ____   (42) 8 X 6 = ____

(43) 8 X 10 = ____   (44) 8 X 8 = ____   (45) 8 X 4 = ____

Practice: Multiplication Table 8

Date: _____   Start: _____   Finish: _____   Score: _____

(1) 8 X 3 = ☐	(2) 8 X 2 = ☐	(3) 8 X 9 = ☐
(4) 8 X 8 = ☐	(5) 8 X 6 = ☐	(6) 8 X 4 = ☐
(7) 8 X 10 = ☐	(8) 8 X 7 = ☐	(9) 8 X 5 = ☐
(10) 8 X 10 = ☐	(11) 8 X 2 = ☐	(12) 8 X 9 = ☐
(13) 8 X 7 = ☐	(14) 8 X 4 = ☐	(15) 8 X 5 = ☐
(16) 8 X 8 = ☐	(17) 8 X 6 = ☐	(18) 8 X 3 = ☐
(19) 8 X 2 = ☐	(20) 8 X 5 = ☐	(21) 8 X 9 = ☐
(22) 8 X 3 = ☐	(23) 8 X 10 = ☐	(24) 8 X 6 = ☐
(25) 8 X 8 = ☐	(26) 8 X 7 = ☐	(27) 8 X 4 = ☐
(28) 8 X 10 = ☐	(29) 8 X 5 = ☐	(30) 8 X 8 = ☐
(31) 8 X 7 = ☐	(32) 8 X 2 = ☐	(33) 8 X 4 = ☐
(34) 8 X 9 = ☐	(35) 8 X 6 = ☐	(36) 8 X 3 = ☐
(37) 8 X 9 = ☐	(38) 8 X 4 = ☐	(39) 8 X 6 = ☐
(40) 8 X 3 = ☐	(41) 8 X 10 = ☐	(42) 8 X 2 = ☐
(43) 8 X 8 = ☐	(44) 8 X 7 = ☐	(45) 8 X 5 = ☐

Multiplication Made Easy

Date: _____   Start: _____   Finish: _____   Score: _____

(1) 9 X 6 = ____	(2) 9 X 10 = ____	(3) 9 X 4 = ____
(4) 9 X 5 = ____	(5) 9 X 9 = ____	(6) 9 X 8 = ____
(7) 9 X 7 = ____	(8) 9 X 3 = ____	(9) 9 X 2 = ____
(10) 9 X 5 = ____	(11) 9 X 9 = ____	(12) 9 X 4 = ____
(13) 9 X 7 = ____	(14) 9 X 6 = ____	(15) 9 X 8 = ____
(16) 9 X 10 = ____	(17) 9 X 2 = ____	(18) 9 X 3 = ____
(19) 9 X 8 = ____	(20) 9 X 9 = ____	(21) 9 X 4 = ____
(22) 9 X 5 = ____	(23) 9 X 2 = ____	(24) 9 X 6 = ____
(25) 9 X 10 = ____	(26) 9 X 3 = ____	(27) 9 X 7 = ____
(28) 9 X 10 = ____	(29) 9 X 4 = ____	(30) 9 X 5 = ____
(31) 9 X 9 = ____	(32) 9 X 7 = ____	(33) 9 X 2 = ____
(34) 9 X 3 = ____	(35) 9 X 8 = ____	(36) 9 X 6 = ____
(37) 9 X 10 = ____	(38) 9 X 6 = ____	(39) 9 X 9 = ____
(40) 9 X 2 = ____	(41) 9 X 8 = ____	(42) 9 X 4 = ____
(43) 9 X 7 = ____	(44) 9 X 3 = ____	(45) 9 X 5 = ____

Practice: Multiplication Table 9

Date: _____   Start: _____   Finish: _____   Score: _____

1   9 X 9 = _____   **2**   9 X 10 = _____   **3**   9 X 4 = _____

4   9 X 7 = _____   **5**   9 X 6 = _____   **6**   9 X 5 = _____

7   9 X 3 = _____   **8**   9 X 8 = _____   **9**   9 X 2 = _____

10   9 X 6 = _____   **11**   9 X 10 = _____   **12**   9 X 3 = _____

13   9 X 8 = _____   **14**   9 X 5 = _____   **15**   9 X 7 = _____

16   9 X 2 = _____   **17**   9 X 9 = _____   **18**   9 X 4 = _____

19   9 X 10 = _____   **20**   9 X 2 = _____   **21**   9 X 5 = _____

22   9 X 4 = _____   **23**   9 X 8 = _____   **24**   9 X 7 = _____

25   9 X 6 = _____   **26**   9 X 9 = _____   **27**   9 X 3 = _____

28   9 X 9 = _____   **29**   9 X 10 = _____   **30**   9 X 4 = _____

31   9 X 5 = _____   **32**   9 X 2 = _____   **33**   9 X 8 = _____

34   9 X 6 = _____   **35**   9 X 3 = _____   **36**   9 X 7 = _____

37   9 X 2 = _____   **38**   9 X 7 = _____   **39**   9 X 8 = _____

40   9 X 4 = _____   **41**   9 X 9 = _____   **42**   9 X 3 = _____

43   9 X 10 = _____   **44**   9 X 6 = _____   **45**   9 X 5 = _____

   Multiplication Made Easy

Date: _____ Start: _____ Finish: _____ Score: _____

1 9 X 6 = _____   2 9 X 8 = _____   3 9 X 9 = _____

4 9 X 4 = _____   5 9 X 3 = _____   6 9 X 5 = _____

7 9 X 10 = _____   8 9 X 2 = _____   9 9 X 7 = _____

10 9 X 10 = _____   11 9 X 7 = _____   12 9 X 3 = _____

13 9 X 2 = _____   14 9 X 6 = _____   15 9 X 8 = _____

16 9 X 9 = _____   17 9 X 5 = _____   18 9 X 4 = _____

19 9 X 2 = _____   20 9 X 5 = _____   21 9 X 9 = _____

22 9 X 7 = _____   23 9 X 4 = _____   24 9 X 8 = _____

25 9 X 10 = _____   26 9 X 3 = _____   27 9 X 6 = _____

28 9 X 10 = _____   29 9 X 6 = _____   30 9 X 2 = _____

31 9 X 8 = _____   32 9 X 9 = _____   33 9 X 3 = _____

34 9 X 7 = _____   35 9 X 4 = _____   36 9 X 5 = _____

37 9 X 3 = _____   38 9 X 9 = _____   39 9 X 5 = _____

40 9 X 6 = _____   41 9 X 4 = _____   42 9 X 10 = _____

43 9 X 7 = _____   44 9 X 8 = _____   45 9 X 2 = _____

Practice: Multiplication Table 10

Date: _____ Start: _____ Finish: _____ Score: _____

1　10 X 4 = ☐　　2　10 X 6 = ☐　　3　10 X 10 = ☐

4　10 X 3 = ☐　　5　10 X 2 = ☐　　6　10 X 8 = ☐

7　10 X 9 = ☐　　8　10 X 7 = ☐　　9　10 X 5 = ☐

10　10 X 10 = ☐　　11　10 X 7 = ☐　　12　10 X 6 = ☐

13　10 X 9 = ☐　　14　10 X 5 = ☐　　15　10 X 4 = ☐

16　10 X 2 = ☐　　17　10 X 8 = ☐　　18　10 X 3 = ☐

19　10 X 9 = ☐　　20　10 X 10 = ☐　　21　10 X 4 = ☐

22　10 X 3 = ☐　　23　10 X 7 = ☐　　24　10 X 2 = ☐

25　10 X 5 = ☐　　26　10 X 8 = ☐　　27　10 X 6 = ☐

28　10 X 8 = ☐　　29　10 X 3 = ☐　　30　10 X 4 = ☐

31　10 X 7 = ☐　　32　10 X 9 = ☐　　33　10 X 6 = ☐

34　10 X 2 = ☐　　35　10 X 10 = ☐　　36　10 X 5 = ☐

37　10 X 3 = ☐　　38　10 X 10 = ☐　　39　10 X 2 = ☐

40　10 X 7 = ☐　　41　10 X 6 = ☐　　42　10 X 9 = ☐

43　10 X 4 = ☐　　44　10 X 8 = ☐　　45　10 X 5 = ☐

　　Multiplication Made Easy

Date: _____   Start: _____   Finish: _____   Score: _____

(1) 10 X 3 = ☐   (2) 10 X 7 = ☐   (3) 10 X 8 = ☐

(4) 10 X 10 = ☐   (5) 10 X 6 = ☐   (6) 10 X 5 = ☐

(7) 10 X 4 = ☐   (8) 10 X 9 = ☐   (9) 10 X 2 = ☐

(10) 10 X 7 = ☐   (11) 10 X 8 = ☐   (12) 10 X 6 = ☐

(13) 10 X 5 = ☐   (14) 10 X 3 = ☐   (15) 10 X 4 = ☐

(16) 10 X 9 = ☐   (17) 10 X 2 = ☐   (18) 10 X 10 = ☐

(19) 10 X 6 = ☐   (20) 10 X 8 = ☐   (21) 10 X 9 = ☐

(22) 10 X 2 = ☐   (23) 10 X 3 = ☐   (24) 10 X 5 = ☐

(25) 10 X 10 = ☐   (26) 10 X 7 = ☐   (27) 10 X 4 = ☐

(28) 10 X 5 = ☐   (29) 10 X 9 = ☐   (30) 10 X 2 = ☐

(31) 10 X 6 = ☐   (32) 10 X 10 = ☐   (33) 10 X 4 = ☐

(34) 10 X 7 = ☐   (35) 10 X 8 = ☐   (36) 10 X 3 = ☐

(37) 10 X 5 = ☐   (38) 10 X 6 = ☐   (39) 10 X 2 = ☐

(40) 10 X 10 = ☐   (41) 10 X 8 = ☐   (42) 10 X 3 = ☐

(43) 10 X 9 = ☐   (44) 10 X 4 = ☐   (45) 10 X 7 = ☐

Practice: Multiplication Table 10

Date: _____   Start: _____   Finish: _____   Score: _____

1   10 X 9 = [ ]   **2**   10 X 5 = [ ]   **3**   10 X 7 = [ ]

4   10 X 3 = [ ]   **5**   10 X 8 = [ ]   **6**   10 X 6 = [ ]

7   10 X 10 = [ ]   **8**   10 X 2 = [ ]   **9**   10 X 4 = [ ]

10   10 X 10 = [ ]   **11**   10 X 9 = [ ]   **12**   10 X 2 = [ ]

13   10 X 5 = [ ]   **14**   10 X 6 = [ ]   **15**   10 X 4 = [ ]

16   10 X 7 = [ ]   **17**   10 X 3 = [ ]   **18**   10 X 8 = [ ]

19   10 X 5 = [ ]   **20**   10 X 7 = [ ]   **21**   10 X 6 = [ ]

22   10 X 9 = [ ]   **23**   10 X 8 = [ ]   **24**   10 X 3 = [ ]

25   10 X 2 = [ ]   **26**   10 X 4 = [ ]   **27**   10 X 10 = [ ]

28   10 X 6 = [ ]   **29**   10 X 3 = [ ]   **30**   10 X 8 = [ ]

31   10 X 9 = [ ]   **32**   10 X 7 = [ ]   **33**   10 X 10 = [ ]

34   10 X 4 = [ ]   **35**   10 X 5 = [ ]   **36**   10 X 2 = [ ]

37   10 X 9 = [ ]   **38**   10 X 7 = [ ]   **39**   10 X 8 = [ ]

40   10 X 3 = [ ]   **41**   10 X 4 = [ ]   **42**   10 X 10 = [ ]

43   10 X 2 = [ ]   **44**   10 X 6 = [ ]   **45**   10 X 5 = [ ]

        Multiplication Made Easy

Date: _____   Start: _____   Finish: _____   Score: _____

1. $9 \times 10 =$ ___

2. $8 \times 8 =$ ___

3. $6 \times 2 =$ ___

4. $10 \times 7 =$ ___

5. $7 \times 4 =$ ___

6. $6 \times 5 =$ ___

7. $10 \times 9 =$ ___

8. $7 \times 3 =$ ___

9. $9 \times 6 =$ ___

10. $8 \times 7 =$ ___

11. $6 \times 5 =$ ___

12. $8 \times 2 =$ ___

13. $10 \times 6 =$ ___

14. $7 \times 4 =$ ___

15. $9 \times 8 =$ ___

16. $7 \times 3 =$ ___

17. $8 \times 9 =$ ___

18. $9 \times 10 =$ ___

19. $6 \times 9 =$ ___

20. $10 \times 7 =$ ___

21. $7 \times 5 =$ ___

22. $8 \times 3 =$ ___

23. $9 \times 4 =$ ___

24. $10 \times 10 =$ ___

25. $6 \times 2 =$ ___

26. $10 \times 8 =$ ___

27. $6 \times 6 =$ ___

28. $8 \times 3 =$ ___

29. $9 \times 5 =$ ___

30. $7 \times 2 =$ ___

31. $8 \times 7 =$ ___

32. $9 \times 6 =$ ___

33. $10 \times 8 =$ ___

34. $7 \times 4 =$ ___

35. $6 \times 10 =$ ___

36. $10 \times 9 =$ ___

37. $8 \times 8 =$ ___

38. $9 \times 9 =$ ___

39. $6 \times 2 =$ ___

40. $7 \times 7 =$ ___

41. $9 \times 6 =$ ___

42. $6 \times 5 =$ ___

43. $7 \times 3 =$ ___

44. $10 \times 10 =$ ___

45. $8 \times 4 =$ ___

Review: Multiplication Table 6 to 10 Mixed

Date: _____   Start: _____   Finish: _____   Score: _____

1 7 X 8 = ▢	**2** 10 X 2 = ▢	**3** 8 X 7 = ▢
4 9 X 9 = ▢	**5** 6 X 10 = ▢	**6** 7 X 3 = ▢
7 6 X 4 = ▢	**8** 9 X 5 = ▢	**9** 8 X 6 = ▢
10 10 X 4 = ▢	**11** 7 X 9 = ▢	**12** 9 X 8 = ▢
13 10 X 3 = ▢	**14** 6 X 6 = ▢	**15** 8 X 10 = ▢
16 6 X 5 = ▢	**17** 10 X 2 = ▢	**18** 7 X 7 = ▢
19 9 X 4 = ▢	**20** 8 X 8 = ▢	**21** 7 X 2 = ▢
22 10 X 6 = ▢	**23** 8 X 3 = ▢	**24** 6 X 10 = ▢
25 9 X 7 = ▢	**26** 6 X 9 = ▢	**27** 10 X 5 = ▢
28 7 X 4 = ▢	**29** 9 X 3 = ▢	**30** 8 X 8 = ▢
31 9 X 5 = ▢	**32** 10 X 6 = ▢	**33** 8 X 2 = ▢
34 7 X 7 = ▢	**35** 6 X 10 = ▢	**36** 7 X 9 = ▢
37 10 X 8 = ▢	**38** 6 X 9 = ▢	**39** 9 X 3 = ▢
40 8 X 7 = ▢	**41** 10 X 4 = ▢	**42** 7 X 5 = ▢
43 9 X 10 = ▢	**44** 6 X 6 = ▢	**45** 8 X 2 = ▢

Multiplication Made Easy

Date: _____   Start: _____   Finish: _____   Score: _____

1. 8 X 6 = _____   2. 9 X 2 = _____   3. 7 X 3 = _____

4. 10 X 5 = _____   5. 6 X 9 = _____   6. 8 X 8 = _____

7. 9 X 10 = _____   8. 7 X 4 = _____   9. 6 X 7 = _____

10. 10 X 3 = _____   11. 8 X 6 = _____   12. 9 X 2 = _____

13. 10 X 9 = _____   14. 6 X 10 = _____   15. 7 X 7 = _____

16. 10 X 5 = _____   17. 6 X 4 = _____   18. 9 X 8 = _____

19. 8 X 10 = _____   20. 7 X 2 = _____   21. 8 X 4 = _____

22. 7 X 3 = _____   23. 6 X 8 = _____   24. 10 X 7 = _____

25. 9 X 5 = _____   26. 6 X 6 = _____   27. 8 X 9 = _____

28. 7 X 4 = _____   29. 10 X 5 = _____   30. 9 X 9 = _____

31. 6 X 8 = _____   32. 8 X 7 = _____   33. 9 X 10 = _____

34. 7 X 6 = _____   35. 10 X 2 = _____   36. 7 X 3 = _____

37. 8 X 10 = _____   38. 9 X 3 = _____   39. 6 X 8 = _____

40. 10 X 4 = _____   41. 8 X 7 = _____   42. 10 X 5 = _____

43. 7 X 2 = _____   44. 9 X 6 = _____   45. 6 X 9 = _____

Review: Multiplication Table 6 to 10 Mixed

Date: _____   Start: _____   Finish: _____   Score: _____

1	9 X 9 =	2	10 X 7 =	3	8 X 2 =
4	6 X 4 =	5	7 X 3 =	6	6 X 8 =
7	8 X 6 =	8	9 X 10 =	9	7 X 5 =
10	10 X 2 =	11	7 X 5 =	12	6 X 6 =
13	10 X 8 =	14	9 X 3 =	15	8 X 4 =
16	7 X 10 =	17	8 X 9 =	18	10 X 7 =
19	6 X 2 =	20	9 X 10 =	21	8 X 9 =
22	7 X 5 =	23	9 X 6 =	24	6 X 8 =
25	10 X 3 =	26	8 X 4 =	27	10 X 7 =
28	6 X 8 =	29	9 X 9 =	30	7 X 6 =
31	10 X 7 =	32	6 X 10 =	33	9 X 4 =
34	7 X 5 =	35	8 X 3 =	36	6 X 2 =
37	10 X 4 =	38	7 X 10 =	39	8 X 6 =
40	9 X 3 =	41	10 X 8 =	42	8 X 2 =
43	9 X 7 =	44	7 X 5 =	45	6 X 9 =

Multiplication Made Easy

Date: _____   Start: _____   Finish: _____   Score: _____

1 7 X 2 = _____   2 6 X 4 = _____   3 10 X 5 = _____

4 8 X 8 = _____   5 9 X 7 = _____   6 8 X 9 = _____

7 9 X 10 = _____   8 10 X 6 = _____   9 6 X 3 = _____

10 7 X 9 = _____   11 10 X 4 = _____   12 7 X 3 = _____

13 9 X 6 = _____   14 6 X 7 = _____   15 8 X 10 = _____

16 6 X 2 = _____   17 9 X 5 = _____   18 10 X 8 = _____

19 8 X 10 = _____   20 7 X 5 = _____   21 8 X 6 = _____

22 9 X 9 = _____   23 7 X 4 = _____   24 6 X 7 = _____

25 10 X 3 = _____   26 6 X 2 = _____   27 8 X 8 = _____

28 10 X 2 = _____   29 9 X 10 = _____   30 7 X 8 = _____

31 9 X 3 = _____   32 8 X 4 = _____   33 6 X 6 = _____

34 10 X 5 = _____   35 7 X 7 = _____   36 9 X 9 = _____

37 7 X 2 = _____   38 10 X 5 = _____   39 6 X 4 = _____

40 8 X 9 = _____   41 6 X 3 = _____   42 7 X 10 = _____

43 10 X 7 = _____   44 8 X 6 = _____   45 9 X 8 = _____

Practice: Multiplication Table 11

Date: _____   Start: _____   Finish: _____   Score: _____

(1) 11 X 4 = [ ]   (2) 11 X 5 = [ ]   (3) 11 X 3 = [ ]

(4) 11 X 6 = [ ]   (5) 11 X 7 = [ ]   (6) 11 X 9 = [ ]

(7) 11 X 2 = [ ]   (8) 11 X 10 = [ ]   (9) 11 X 8 = [ ]

(10) 11 X 6 = [ ]   (11) 11 X 9 = [ ]   (12) 11 X 7 = [ ]

(13) 11 X 2 = [ ]   (14) 11 X 3 = [ ]   (15) 11 X 4 = [ ]

(16) 11 X 8 = [ ]   (17) 11 X 5 = [ ]   (18) 11 X 10 = [ ]

(19) 11 X 6 = [ ]   (20) 11 X 9 = [ ]   (21) 11 X 8 = [ ]

(22) 11 X 5 = [ ]   (23) 11 X 10 = [ ]   (24) 11 X 7 = [ ]

(25) 11 X 2 = [ ]   (26) 11 X 4 = [ ]   (27) 11 X 3 = [ ]

(28) 11 X 4 = [ ]   (29) 11 X 3 = [ ]   (30) 11 X 2 = [ ]

(31) 11 X 5 = [ ]   (32) 11 X 7 = [ ]   (33) 11 X 10 = [ ]

(34) 11 X 8 = [ ]   (35) 11 X 6 = [ ]   (36) 11 X 9 = [ ]

(37) 11 X 5 = [ ]   (38) 11 X 2 = [ ]   (39) 11 X 10 = [ ]

(40) 11 X 4 = [ ]   (41) 11 X 8 = [ ]   (42) 11 X 6 = [ ]

(43) 11 X 9 = [ ]   (44) 11 X 7 = [ ]   (45) 11 X 3 = [ ]

Multiplication Made Easy

Date: _____   Start: _____   Finish: _____   Score: _____

(1)	11 X 6 =	(2) 11 X 5 =	(3) 11 X 4 =

1. 11 X 6 =
2. 11 X 5 =
3. 11 X 4 =
4. 11 X 10 =
5. 11 X 9 =
6. 11 X 2 =
7. 11 X 7 =
8. 11 X 8 =
9. 11 X 3 =
10. 11 X 7 =
11. 11 X 10 =
12. 11 X 6 =
13. 11 X 4 =
14. 11 X 8 =
15. 11 X 2 =
16. 11 X 9 =
17. 11 X 5 =
18. 11 X 3 =
19. 11 X 8 =
20. 11 X 10 =
21. 11 X 4 =
22. 11 X 9 =
23. 11 X 6 =
24. 11 X 5 =
25. 11 X 7 =
26. 11 X 2 =
27. 11 X 3 =
28. 11 X 4 =
29. 11 X 7 =
30. 11 X 3 =
31. 11 X 8 =
32. 11 X 2 =
33. 11 X 6 =
34. 11 X 10 =
35. 11 X 5 =
36. 11 X 9 =
37. 11 X 6 =
38. 11 X 9 =
39. 11 X 4 =
40. 11 X 3 =
41. 11 X 5 =
42. 11 X 10 =
43. 11 X 8 =
44. 11 X 2 =
45. 11 X 7 =

Practice: Multiplication Table 11

Date: _____   Start: _____   Finish: _____   Score: _____

(1) 11 X 5 = [ ]   (2) 11 X 8 = [ ]   (3) 11 X 4 = [ ]

(4) 11 X 9 = [ ]   (5) 11 X 2 = [ ]   (6) 11 X 3 = [ ]

(7) 11 X 10 = [ ]   (8) 11 X 7 = [ ]   (9) 11 X 6 = [ ]

(10) 11 X 10 = [ ]   (11) 11 X 3 = [ ]   (12) 11 X 9 = [ ]

(13) 11 X 2 = [ ]   (14) 11 X 8 = [ ]   (15) 11 X 7 = [ ]

(16) 11 X 4 = [ ]   (17) 11 X 6 = [ ]   (18) 11 X 5 = [ ]

(19) 11 X 4 = [ ]   (20) 11 X 9 = [ ]   (21) 11 X 5 = [ ]

(22) 11 X 7 = [ ]   (23) 11 X 3 = [ ]   (24) 11 X 8 = [ ]

(25) 11 X 2 = [ ]   (26) 11 X 10 = [ ]   (27) 11 X 6 = [ ]

(28) 11 X 8 = [ ]   (29) 11 X 4 = [ ]   (30) 11 X 6 = [ ]

(31) 11 X 9 = [ ]   (32) 11 X 5 = [ ]   (33) 11 X 10 = [ ]

(34) 11 X 2 = [ ]   (35) 11 X 7 = [ ]   (36) 11 X 3 = [ ]

(37) 11 X 5 = [ ]   (38) 11 X 8 = [ ]   (39) 11 X 6 = [ ]

(40) 11 X 2 = [ ]   (41) 11 X 9 = [ ]   (42) 11 X 4 = [ ]

(43) 11 X 3 = [ ]   (44) 11 X 7 = [ ]   (45) 11 X 10 = [ ]

Multiplication Made Easy

Date: _____   Start: _____   Finish: _____   Score: _____

1 12 X 5 = ___	**2** 12 X 8 = ___	**3** 12 X 2 = ___
4 12 X 7 = ___	**5** 12 X 6 = ___	**6** 12 X 3 = ___
7 12 X 10 = ___	**8** 12 X 9 = ___	**9** 12 X 4 = ___
10 12 X 8 = ___	**11** 12 X 10 = ___	**12** 12 X 4 = ___
13 12 X 7 = ___	**14** 12 X 2 = ___	**15** 12 X 9 = ___
16 12 X 5 = ___	**17** 12 X 3 = ___	**18** 12 X 6 = ___
19 12 X 5 = ___	**20** 12 X 6 = ___	**21** 12 X 2 = ___
22 12 X 7 = ___	**23** 12 X 4 = ___	**24** 12 X 3 = ___
25 12 X 8 = ___	**26** 12 X 9 = ___	**27** 12 X 10 = ___
28 12 X 6 = ___	**29** 12 X 2 = ___	**30** 12 X 3 = ___
31 12 X 7 = ___	**32** 12 X 4 = ___	**33** 12 X 10 = ___
34 12 X 8 = ___	**35** 12 X 5 = ___	**36** 12 X 9 = ___
37 12 X 5 = ___	**38** 12 X 9 = ___	**39** 12 X 3 = ___
40 12 X 10 = ___	**41** 12 X 2 = ___	**42** 12 X 6 = ___
43 12 X 4 = ___	**44** 12 X 7 = ___	**45** 12 X 8 = ___

Practice: Multiplication Table 12

Date: _____   Start: _____   Finish: _____   Score: _____

(1) 12 X 10 = ⬚   (2) 12 X 4 = ⬚   (3) 12 X 6 = ⬚

(4) 12 X 3 = ⬚   (5) 12 X 2 = ⬚   (6) 12 X 8 = ⬚

(7) 12 X 5 = ⬚   (8) 12 X 9 = ⬚   (9) 12 X 7 = ⬚

(10) 12 X 6 = ⬚   (11) 12 X 8 = ⬚   (12) 12 X 5 = ⬚

(13) 12 X 7 = ⬚   (14) 12 X 4 = ⬚   (15) 12 X 3 = ⬚

(16) 12 X 9 = ⬚   (17) 12 X 10 = ⬚   (18) 12 X 2 = ⬚

(19) 12 X 7 = ⬚   (20) 12 X 5 = ⬚   (21) 12 X 10 = ⬚

(22) 12 X 4 = ⬚   (23) 12 X 9 = ⬚   (24) 12 X 8 = ⬚

(25) 12 X 3 = ⬚   (26) 12 X 2 = ⬚   (27) 12 X 6 = ⬚

(28) 12 X 10 = ⬚   (29) 12 X 7 = ⬚   (30) 12 X 4 = ⬚

(31) 12 X 2 = ⬚   (32) 12 X 3 = ⬚   (33) 12 X 6 = ⬚

(34) 12 X 5 = ⬚   (35) 12 X 8 = ⬚   (36) 12 X 9 = ⬚

(37) 12 X 10 = ⬚   (38) 12 X 3 = ⬚   (39) 12 X 2 = ⬚

(40) 12 X 8 = ⬚   (41) 12 X 4 = ⬚   (42) 12 X 7 = ⬚

(43) 12 X 9 = ⬚   (44) 12 X 6 = ⬚   (45) 12 X 5 = ⬚

Date: _____   Start: _____   Finish: _____   Score: _____

1   12 X 4 = ☐   **2**   12 X 6 = ☐   **3**   12 X 3 = ☐

4   12 X 10 = ☐   **5**   12 X 5 = ☐   **6**   12 X 7 = ☐

7   12 X 8 = ☐   **8**   12 X 2 = ☐   **9**   12 X 9 = ☐

10   12 X 3 = ☐   **11**   12 X 4 = ☐   **12**   12 X 7 = ☐

13   12 X 9 = ☐   **14**   12 X 2 = ☐   **15**   12 X 8 = ☐

16   12 X 5 = ☐   **17**   12 X 6 = ☐   **18**   12 X 10 = ☐

19   12 X 2 = ☐   **20**   12 X 4 = ☐   **21**   12 X 7 = ☐

22   12 X 6 = ☐   **23**   12 X 5 = ☐   **24**   12 X 8 = ☐

25   12 X 3 = ☐   **26**   12 X 9 = ☐   **27**   12 X 10 = ☐

28   12 X 7 = ☐   **29**   12 X 6 = ☐   **30**   12 X 2 = ☐

31   12 X 10 = ☐   **32**   12 X 9 = ☐   **33**   12 X 3 = ☐

34   12 X 8 = ☐   **35**   12 X 5 = ☐   **36**   12 X 4 = ☐

37   12 X 7 = ☐   **38**   12 X 3 = ☐   **39**   12 X 9 = ☐

40   12 X 4 = ☐   **41**   12 X 2 = ☐   **42**   12 X 10 = ☐

43   12 X 6 = ☐   **44**   12 X 5 = ☐   **45**   12 X 8 = ☐

Review: Multiplication Table 2 to 12 Mixed

Date: _____   Start: _____   Finish: _____   Score: _____

1   3 X 3 = [   ]   2   7 X 9 = [   ]   3   4 X 5 = [   ]

4   6 X 8 = [   ]   5   12 X 6 = [   ]   6   5 X 2 = [   ]

7   10 X 10 = [   ]   8   9 X 7 = [   ]   9   8 X 4 = [   ]

10   11 X 5 = [   ]   11   2 X 10 = [   ]   12   9 X 2 = [   ]

13   7 X 6 = [   ]   14   2 X 7 = [   ]   15   6 X 4 = [   ]

16   12 X 9 = [   ]   17   4 X 8 = [   ]   18   5 X 3 = [   ]

19   3 X 8 = [   ]   20   8 X 5 = [   ]   21   10 X 10 = [   ]

22   11 X 2 = [   ]   23   2 X 9 = [   ]   24   7 X 4 = [   ]

25   11 X 6 = [   ]   26   10 X 7 = [   ]   27   4 X 3 = [   ]

28   12 X 6 = [   ]   29   3 X 3 = [   ]   30   8 X 10 = [   ]

31   5 X 7 = [   ]   32   6 X 4 = [   ]   33   9 X 2 = [   ]

34   12 X 9 = [   ]   35   3 X 8 = [   ]   36   7 X 5 = [   ]

37   2 X 3 = [   ]   38   8 X 6 = [   ]   39   10 X 7 = [   ]

40   4 X 8 = [   ]   41   5 X 5 = [   ]   42   11 X 9 = [   ]

43   6 X 4 = [   ]   44   9 X 10 = [   ]   45   11 X 2 = [   ]

Multiplication Made Easy

Date: _____   Start: _____   Finish: _____   Score: _____

1. $4 \times 5 =$	2. $5 \times 9 =$	3. $9 \times 7 =$
4. $12 \times 6 =$	5. $2 \times 2 =$	6. $11 \times 4 =$
7. $7 \times 3 =$	8. $8 \times 10 =$	9. $10 \times 8 =$
10. $3 \times 3 =$	11. $6 \times 7 =$	12. $10 \times 6 =$
13. $4 \times 8 =$	14. $6 \times 4 =$	15. $8 \times 2 =$
16. $11 \times 9 =$	17. $12 \times 5 =$	18. $7 \times 10 =$
19. $5 \times 8 =$	20. $3 \times 5 =$	21. $2 \times 4 =$
22. $9 \times 6 =$	23. $8 \times 3 =$	24. $5 \times 7 =$
25. $4 \times 10 =$	26. $11 \times 9 =$	27. $10 \times 2 =$
28. $9 \times 3 =$	29. $2 \times 2 =$	30. $6 \times 6 =$
31. $7 \times 10 =$	32. $12 \times 7 =$	33. $3 \times 8 =$
34. $8 \times 4 =$	35. $10 \times 5 =$	36. $5 \times 9 =$
37. $7 \times 6 =$	38. $4 \times 3 =$	39. $6 \times 5 =$
40. $9 \times 9 =$	41. $3 \times 4 =$	42. $12 \times 10 =$
43. $11 \times 8 =$	44. $2 \times 7 =$	45. $9 \times 2 =$

Review: Multiplication Table 2 to 12 Mixed

Date: _____   Start: _____   Finish: _____   Score: _____

1 6 X 9 = ⬚   **2** 4 X 10 = ⬚   **3** 2 X 3 = ⬚

4 8 X 8 = ⬚   **5** 10 X 5 = ⬚   **6** 12 X 2 = ⬚

7 3 X 7 = ⬚   **8** 9 X 4 = ⬚   **9** 5 X 6 = ⬚

10 11 X 5 = ⬚   **11** 7 X 2 = ⬚   **12** 12 X 3 = ⬚

13 8 X 4 = ⬚   **14** 7 X 9 = ⬚   **15** 11 X 6 = ⬚

16 5 X 7 = ⬚   **17** 10 X 8 = ⬚   **18** 3 X 10 = ⬚

19 2 X 7 = ⬚   **20** 4 X 8 = ⬚   **21** 6 X 3 = ⬚

22 9 X 2 = ⬚   **23** 3 X 10 = ⬚   **24** 4 X 9 = ⬚

25 8 X 6 = ⬚   **26** 12 X 5 = ⬚   **27** 2 X 4 = ⬚

28 6 X 10 = ⬚   **29** 9 X 4 = ⬚   **30** 11 X 8 = ⬚

31 10 X 3 = ⬚   **32** 5 X 7 = ⬚   **33** 7 X 5 = ⬚

34 2 X 9 = ⬚   **35** 11 X 6 = ⬚   **36** 3 X 2 = ⬚

37 10 X 7 = ⬚   **38** 8 X 3 = ⬚   **39** 5 X 5 = ⬚

40 4 X 2 = ⬚   **41** 9 X 8 = ⬚   **42** 6 X 10 = ⬚

43 12 X 4 = ⬚   **44** 7 X 9 = ⬚   **45** 4 X 6 = ⬚

Multiplication Made Easy

Date: _____   Start: _____   Finish: _____   Score: _____

(1) 7 X 8 = ☐   (2) 2 X 7 = ☐   (3) 4 X 3 = ☐

(4) 10 X 2 = ☐   (5) 5 X 9 = ☐   (6) 9 X 10 = ☐

(7) 3 X 6 = ☐   (8) 8 X 5 = ☐   (9) 12 X 4 = ☐

(10) 11 X 6 = ☐   (11) 6 X 10 = ☐   (12) 9 X 4 = ☐

(13) 2 X 9 = ☐   (14) 11 X 7 = ☐   (15) 10 X 3 = ☐

(16) 3 X 8 = ☐   (17) 4 X 5 = ☐   (18) 12 X 2 = ☐

(19) 7 X 3 = ☐   (20) 6 X 9 = ☐   (21) 8 X 5 = ☐

(22) 5 X 4 = ☐   (23) 12 X 2 = ☐   (24) 7 X 7 = ☐

(25) 8 X 6 = ☐   (26) 2 X 10 = ☐   (27) 6 X 8 = ☐

(28) 5 X 10 = ☐   (29) 11 X 3 = ☐   (30) 10 X 9 = ☐

(31) 3 X 2 = ☐   (32) 4 X 8 = ☐   (33) 9 X 7 = ☐

(34) 5 X 4 = ☐   (35) 3 X 5 = ☐   (36) 2 X 6 = ☐

(37) 11 X 3 = ☐   (38) 8 X 2 = ☐   (39) 12 X 5 = ☐

(40) 10 X 9 = ☐   (41) 4 X 4 = ☐   (42) 7 X 6 = ☐

(43) 6 X 10 = ☐   (44) 9 X 8 = ☐   (45) 7 X 7 = ☐

Review: Multiplication Table 2 to 12 Mixed

Date: _____   Start: _____   Finish: _____   Score: _____

(1) 2 X 7 = ☐   (2) 9 X 3 = ☐   (3) 8 X 4 = ☐

(4) 7 X 10 = ☐   (5) 11 X 5 = ☐   (6) 4 X 2 = ☐

(7) 3 X 6 = ☐   (8) 10 X 9 = ☐   (9) 12 X 8 = ☐

(10) 6 X 5 = ☐   (11) 5 X 3 = ☐   (12) 4 X 8 = ☐

(13) 9 X 2 = ☐   (14) 6 X 6 = ☐   (15) 7 X 7 = ☐

(16) 11 X 10 = ☐   (17) 10 X 4 = ☐   (18) 2 X 9 = ☐

(19) 3 X 3 = ☐   (20) 8 X 6 = ☐   (21) 12 X 7 = ☐

(22) 5 X 8 = ☐   (23) 4 X 2 = ☐   (24) 6 X 5 = ☐

(25) 7 X 10 = ☐   (26) 10 X 9 = ☐   (27) 3 X 4 = ☐

(28) 2 X 10 = ☐   (29) 9 X 2 = ☐   (30) 5 X 5 = ☐

(31) 12 X 3 = ☐   (32) 8 X 6 = ☐   (33) 11 X 8 = ☐

(34) 8 X 7 = ☐   (35) 9 X 9 = ☐   (36) 11 X 4 = ☐

(37) 7 X 6 = ☐   (38) 12 X 4 = ☐   (39) 6 X 9 = ☐

(40) 2 X 3 = ☐   (41) 4 X 2 = ☐   (42) 10 X 8 = ☐

(43) 5 X 7 = ☐   (44) 3 X 5 = ☐   (45) 6 X 10 = ☐

Multiplication Made Easy

Date: _____   Start: _____   Finish: _____   Score: _____

(1) 13 X 4 = _____   (2) 13 X 6 = _____   (3) 13 X 8 = _____

(4) 13 X 7 = _____   (5) 13 X 9 = _____   (6) 13 X 10 = _____

(7) 13 X 3 = _____   (8) 13 X 2 = _____   (9) 13 X 5 = _____

(10) 13 X 7 = _____   (11) 13 X 2 = _____   (12) 13 X 6 = _____

(13) 13 X 3 = _____   (14) 13 X 8 = _____   (15) 13 X 9 = _____

(16) 13 X 5 = _____   (17) 13 X 10 = _____   (18) 13 X 4 = _____

(19) 13 X 2 = _____   (20) 13 X 10 = _____   (21) 13 X 8 = _____

(22) 13 X 7 = _____   (23) 13 X 4 = _____   (24) 13 X 9 = _____

(25) 13 X 3 = _____   (26) 13 X 5 = _____   (27) 13 X 6 = _____

(28) 13 X 2 = _____   (29) 13 X 4 = _____   (30) 13 X 6 = _____

(31) 13 X 5 = _____   (32) 13 X 3 = _____   (33) 13 X 8 = _____

(34) 13 X 7 = _____   (35) 13 X 9 = _____   (36) 13 X 10 = _____

(37) 13 X 3 = _____   (38) 13 X 8 = _____   (39) 13 X 9 = _____

(40) 13 X 6 = _____   (41) 13 X 10 = _____   (42) 13 X 4 = _____

(43) 13 X 7 = _____   (44) 13 X 2 = _____   (45) 13 X 5 = _____

Multiplication Made Easy

Practice: Multiplication Table 13

Date: _____   Start: _____   Finish: _____   Score: _____

(1) 13 X 2 = [ ]   (2) 13 X 5 = [ ]   (3) 13 X 10 = [ ]

(4) 13 X 6 = [ ]   (5) 13 X 8 = [ ]   (6) 13 X 7 = [ ]

(7) 13 X 4 = [ ]   (8) 13 X 9 = [ ]   (9) 13 X 3 = [ ]

(10) 13 X 8 = [ ]   (11) 13 X 6 = [ ]   (12) 13 X 4 = [ ]

(13) 13 X 3 = [ ]   (14) 13 X 7 = [ ]   (15) 13 X 2 = [ ]

(16) 13 X 5 = [ ]   (17) 13 X 10 = [ ]   (18) 13 X 9 = [ ]

(19) 13 X 3 = [ ]   (20) 13 X 5 = [ ]   (21) 13 X 9 = [ ]

(22) 13 X 7 = [ ]   (23) 13 X 10 = [ ]   (24) 13 X 2 = [ ]

(25) 13 X 6 = [ ]   (26) 13 X 4 = [ ]   (27) 13 X 8 = [ ]

(28) 13 X 2 = [ ]   (29) 13 X 6 = [ ]   (30) 13 X 8 = [ ]

(31) 13 X 10 = [ ]   (32) 13 X 7 = [ ]   (33) 13 X 5 = [ ]

(34) 13 X 3 = [ ]   (35) 13 X 9 = [ ]   (36) 13 X 4 = [ ]

(37) 13 X 8 = [ ]   (38) 13 X 6 = [ ]   (39) 13 X 3 = [ ]

(40) 13 X 9 = [ ]   (41) 13 X 2 = [ ]   (42) 13 X 5 = [ ]

(43) 13 X 4 = [ ]   (44) 13 X 10 = [ ]   (45) 13 X 7 = [ ]

Multiplication Made Easy

Date: _____   Start: _____   Finish: _____   Score: _____

1 13 X 8 = [ ]   2 13 X 9 = [ ]   3 13 X 5 = [ ]

4 13 X 6 = [ ]   5 13 X 4 = [ ]   6 13 X 10 = [ ]

7 13 X 3 = [ ]   8 13 X 2 = [ ]   9 13 X 7 = [ ]

10 13 X 10 = [ ]   11 13 X 8 = [ ]   12 13 X 9 = [ ]

13 13 X 2 = [ ]   14 13 X 3 = [ ]   15 13 X 6 = [ ]

16 13 X 7 = [ ]   17 13 X 5 = [ ]   18 13 X 4 = [ ]

19 13 X 8 = [ ]   20 13 X 9 = [ ]   21 13 X 10 = [ ]

22 13 X 2 = [ ]   23 13 X 5 = [ ]   24 13 X 4 = [ ]

25 13 X 3 = [ ]   26 13 X 6 = [ ]   27 13 X 7 = [ ]

28 13 X 6 = [ ]   29 13 X 10 = [ ]   30 13 X 4 = [ ]

31 13 X 9 = [ ]   32 13 X 2 = [ ]   33 13 X 7 = [ ]

34 13 X 3 = [ ]   35 13 X 8 = [ ]   36 13 X 5 = [ ]

37 13 X 2 = [ ]   38 13 X 7 = [ ]   39 13 X 8 = [ ]

40 13 X 6 = [ ]   41 13 X 5 = [ ]   42 13 X 3 = [ ]

43 13 X 4 = [ ]   44 13 X 9 = [ ]   45 13 X 10 = [ ]

Practice: Multiplication Table 14

Date: _____   Start: _____   Finish: _____   Score: _____

(1) 14 X 2 = ☐   (2) 14 X 9 = ☐   (3) 14 X 5 = ☐

(4) 14 X 7 = ☐   (5) 14 X 4 = ☐   (6) 14 X 8 = ☐

(7) 14 X 10 = ☐   (8) 14 X 6 = ☐   (9) 14 X 3 = ☐

(10) 14 X 10 = ☐   (11) 14 X 5 = ☐   (12) 14 X 6 = ☐

(13) 14 X 3 = ☐   (14) 14 X 9 = ☐   (15) 14 X 7 = ☐

(16) 14 X 4 = ☐   (17) 14 X 8 = ☐   (18) 14 X 2 = ☐

(19) 14 X 7 = ☐   (20) 14 X 5 = ☐   (21) 14 X 4 = ☐

(22) 14 X 9 = ☐   (23) 14 X 3 = ☐   (24) 14 X 2 = ☐

(25) 14 X 6 = ☐   (26) 14 X 10 = ☐   (27) 14 X 8 = ☐

(28) 14 X 3 = ☐   (29) 14 X 7 = ☐   (30) 14 X 5 = ☐

(31) 14 X 2 = ☐   (32) 14 X 10 = ☐   (33) 14 X 6 = ☐

(34) 14 X 4 = ☐   (35) 14 X 9 = ☐   (36) 14 X 8 = ☐

(37) 14 X 2 = ☐   (38) 14 X 7 = ☐   (39) 14 X 8 = ☐

(40) 14 X 6 = ☐   (41) 14 X 10 = ☐   (42) 14 X 4 = ☐

(43) 14 X 9 = ☐   (44) 14 X 5 = ☐   (45) 14 X 3 = ☐

Multiplication Made Easy

Date: _____   Start: _____   Finish: _____   Score: _____

1. 14 X 8 = [ ]
2. 14 X 5 = [ ]
3. 14 X 3 = [ ]
4. 14 X 4 = [ ]
5. 14 X 9 = [ ]
6. 14 X 10 = [ ]
7. 14 X 6 = [ ]
8. 14 X 2 = [ ]
9. 14 X 7 = [ ]
10. 14 X 8 = [ ]
11. 14 X 5 = [ ]
12. 14 X 9 = [ ]
13. 14 X 4 = [ ]
14. 14 X 10 = [ ]
15. 14 X 2 = [ ]
16. 14 X 6 = [ ]
17. 14 X 7 = [ ]
18. 14 X 3 = [ ]
19. 14 X 4 = [ ]
20. 14 X 5 = [ ]
21. 14 X 3 = [ ]
22. 14 X 10 = [ ]
23. 14 X 9 = [ ]
24. 14 X 7 = [ ]
25. 14 X 2 = [ ]
26. 14 X 8 = [ ]
27. 14 X 6 = [ ]
28. 14 X 2 = [ ]
29. 14 X 9 = [ ]
30. 14 X 5 = [ ]
31. 14 X 7 = [ ]
32. 14 X 10 = [ ]
33. 14 X 6 = [ ]
34. 14 X 3 = [ ]
35. 14 X 4 = [ ]
36. 14 X 8 = [ ]
37. 14 X 2 = [ ]
38. 14 X 5 = [ ]
39. 14 X 6 = [ ]
40. 14 X 4 = [ ]
41. 14 X 7 = [ ]
42. 14 X 8 = [ ]
43. 14 X 9 = [ ]
44. 14 X 3 = [ ]
45. 14 X 10 = [ ]

Practice: Multiplication Table 14

Date: _____   Start: _____   Finish: _____   Score: _____

1   14 X 8 = ☐   **2**   14 X 4 = ☐   **3**   14 X 3 = ☐

4   14 X 6 = ☐   **5**   14 X 10 = ☐   **6**   14 X 7 = ☐

7   14 X 9 = ☐   **8**   14 X 2 = ☐   **9**   14 X 5 = ☐

10   14 X 4 = ☐   **11**   14 X 5 = ☐   **12**   14 X 2 = ☐

13   14 X 3 = ☐   **14**   14 X 7 = ☐   **15**   14 X 9 = ☐

16   14 X 8 = ☐   **17**   14 X 10 = ☐   **18**   14 X 6 = ☐

19   14 X 8 = ☐   **20**   14 X 5 = ☐   **21**   14 X 10 = ☐

22   14 X 7 = ☐   **23**   14 X 9 = ☐   **24**   14 X 3 = ☐

25   14 X 6 = ☐   **26**   14 X 2 = ☐   **27**   14 X 4 = ☐

28   14 X 9 = ☐   **29**   14 X 2 = ☐   **30**   14 X 5 = ☐

31   14 X 3 = ☐   **32**   14 X 7 = ☐   **33**   14 X 4 = ☐

34   14 X 8 = ☐   **35**   14 X 6 = ☐   **36**   14 X 10 = ☐

37   14 X 9 = ☐   **38**   14 X 2 = ☐   **39**   14 X 3 = ☐

40   14 X 10 = ☐   **41**   14 X 5 = ☐   **42**   14 X 6 = ☐

43   14 X 8 = ☐   **44**   14 X 7 = ☐   **45**   14 X 4 = ☐

Multiplication Made Easy

Date: _____   Start: _____   Finish: _____   Score: _____

1   15 X 10 = _____   2   15 X 3 = _____   3   15 X 4 = _____

4   15 X 2 = _____   5   15 X 8 = _____   6   15 X 5 = _____

7   15 X 9 = _____   8   15 X 7 = _____   9   15 X 6 = _____

10   15 X 3 = _____   11   15 X 4 = _____   12   15 X 9 = _____

13   15 X 2 = _____   14   15 X 6 = _____   15   15 X 5 = _____

16   15 X 8 = _____   17   15 X 10 = _____   18   15 X 7 = _____

19   15 X 9 = _____   20   15 X 7 = _____   21   15 X 10 = _____

22   15 X 8 = _____   23   15 X 6 = _____   24   15 X 4 = _____

25   15 X 2 = _____   26   15 X 3 = _____   27   15 X 5 = _____

28   15 X 6 = _____   29   15 X 2 = _____   30   15 X 3 = _____

31   15 X 4 = _____   32   15 X 7 = _____   33   15 X 5 = _____

34   15 X 8 = _____   35   15 X 9 = _____   36   15 X 10 = _____

37   15 X 4 = _____   38   15 X 2 = _____   39   15 X 6 = _____

40   15 X 5 = _____   41   15 X 7 = _____   42   15 X 10 = _____

43   15 X 3 = _____   44   15 X 9 = _____   45   15 X 8 = _____

Practice: Multiplication Table 15

Date: _____   Start: _____   Finish: _____   Score: _____

(1) 15 X 10 = [____]   (2) 15 X 2 = [____]   (3) 15 X 4 = [____]

(4) 15 X 9 = [____]   (5) 15 X 5 = [____]   (6) 15 X 6 = [____]

(7) 15 X 7 = [____]   (8) 15 X 8 = [____]   (9) 15 X 3 = [____]

(10) 15 X 2 = [____]   (11) 15 X 9 = [____]   (12) 15 X 8 = [____]

(13) 15 X 5 = [____]   (14) 15 X 4 = [____]   (15) 15 X 3 = [____]

(16) 15 X 6 = [____]   (17) 15 X 10 = [____]   (18) 15 X 7 = [____]

(19) 15 X 9 = [____]   (20) 15 X 10 = [____]   (21) 15 X 4 = [____]

(22) 15 X 6 = [____]   (23) 15 X 2 = [____]   (24) 15 X 7 = [____]

(25) 15 X 5 = [____]   (26) 15 X 3 = [____]   (27) 15 X 8 = [____]

(28) 15 X 7 = [____]   (29) 15 X 8 = [____]   (30) 15 X 2 = [____]

(31) 15 X 6 = [____]   (32) 15 X 10 = [____]   (33) 15 X 3 = [____]

(34) 15 X 9 = [____]   (35) 15 X 5 = [____]   (36) 15 X 4 = [____]

(37) 15 X 10 = [____]   (38) 15 X 7 = [____]   (39) 15 X 6 = [____]

(40) 15 X 9 = [____]   (41) 15 X 2 = [____]   (42) 15 X 4 = [____]

(43) 15 X 5 = [____]   (44) 15 X 3 = [____]   (45) 15 X 8 = [____]

Multiplication Made Easy

Date: _____ Start: _____ Finish: _____ Score: _____

1 15 X 6 = [　　]   2 15 X 7 = [　　]   3 15 X 4 = [　　]

4 15 X 5 = [　　]   5 15 X 2 = [　　]   6 15 X 8 = [　　]

7 15 X 9 = [　　]   8 15 X 3 = [　　]   9 15 X 10 = [　　]

10 15 X 7 = [　　]   11 15 X 10 = [　　]   12 15 X 2 = [　　]

13 15 X 4 = [　　]   14 15 X 3 = [　　]   15 15 X 9 = [　　]

16 15 X 6 = [　　]   17 15 X 5 = [　　]   18 15 X 8 = [　　]

19 15 X 4 = [　　]   20 15 X 5 = [　　]   21 15 X 3 = [　　]

22 15 X 10 = [　　]   23 15 X 8 = [　　]   24 15 X 7 = [　　]

25 15 X 9 = [　　]   26 15 X 2 = [　　]   27 15 X 6 = [　　]

28 15 X 3 = [　　]   29 15 X 8 = [　　]   30 15 X 4 = [　　]

31 15 X 10 = [　　]   32 15 X 7 = [　　]   33 15 X 2 = [　　]

34 15 X 5 = [　　]   35 15 X 9 = [　　]   36 15 X 6 = [　　]

37 15 X 7 = [　　]   38 15 X 6 = [　　]   39 15 X 5 = [　　]

40 15 X 10 = [　　]   41 15 X 3 = [　　]   42 15 X 2 = [　　]

43 15 X 9 = [　　]   44 15 X 4 = [　　]   45 15 X 8 = [　　]

Review: Multiplication Table 11 to 15 Mixed

Date: _____   Start: _____   Finish: _____   Score: _____

(1) 12 X 8 = ☐   (2) 15 X 3 = ☐   (3) 11 X 6 = ☐

(4) 14 X 10 = ☐   (5) 13 X 7 = ☐   (6) 12 X 4 = ☐

(7) 11 X 2 = ☐   (8) 13 X 9 = ☐   (9) 15 X 5 = ☐

(10) 14 X 9 = ☐   (11) 15 X 8 = ☐   (12) 14 X 5 = ☐

(13) 12 X 6 = ☐   (14) 13 X 4 = ☐   (15) 11 X 7 = ☐

(16) 12 X 2 = ☐   (17) 11 X 3 = ☐   (18) 13 X 10 = ☐

(19) 15 X 4 = ☐   (20) 14 X 3 = ☐   (21) 11 X 8 = ☐

(22) 12 X 9 = ☐   (23) 15 X 5 = ☐   (24) 14 X 10 = ☐

(25) 13 X 7 = ☐   (26) 15 X 2 = ☐   (27) 12 X 6 = ☐

(28) 11 X 10 = ☐   (29) 14 X 9 = ☐   (30) 13 X 6 = ☐

(31) 14 X 4 = ☐   (32) 12 X 3 = ☐   (33) 15 X 8 = ☐

(34) 11 X 2 = ☐   (35) 13 X 5 = ☐   (36) 11 X 7 = ☐

(37) 13 X 2 = ☐   (38) 15 X 5 = ☐   (39) 12 X 10 = ☐

(40) 14 X 3 = ☐   (41) 13 X 4 = ☐   (42) 14 X 6 = ☐

(43) 11 X 7 = ☐   (44) 12 X 8 = ☐   (45) 15 X 9 = ☐

Multiplication Made Easy

Date: _____   Start: _____   Finish: _____   Score: _____

1. 15 X 7 = ____   2. 11 X 8 = ____   3. 14 X 6 = ____

4. 13 X 10 = ____   5. 12 X 5 = ____   6. 11 X 9 = ____

7. 12 X 4 = ____   8. 15 X 2 = ____   9. 13 X 3 = ____

10. 14 X 2 = ____   11. 13 X 3 = ____   12. 14 X 7 = ____

13. 12 X 9 = ____   14. 11 X 10 = ____   15. 15 X 8 = ____

16. 14 X 6 = ____   17. 13 X 4 = ____   18. 11 X 5 = ____

19. 12 X 3 = ____   20. 15 X 10 = ____   21. 11 X 5 = ____

22. 13 X 6 = ____   23. 15 X 2 = ____   24. 12 X 8 = ____

25. 14 X 7 = ____   26. 11 X 4 = ____   27. 12 X 9 = ____

28. 13 X 7 = ____   29. 14 X 3 = ____   30. 15 X 6 = ____

31. 12 X 4 = ____   32. 15 X 2 = ____   33. 13 X 9 = ____

34. 14 X 10 = ____   35. 11 X 5 = ____   36. 14 X 8 = ____

37. 11 X 3 = ____   38. 12 X 9 = ____   39. 15 X 6 = ____

40. 13 X 2 = ____   41. 11 X 4 = ____   42. 15 X 5 = ____

43. 13 X 7 = ____   44. 14 X 8 = ____   45. 12 X 10 = ____

Review: Multiplication Table 11 to 15 Mixed

Date: _____   Start: _____   Finish: _____   Score: _____

1 14 X 4 = [ ]   2 12 X 8 = [ ]   3 15 X 5 = [ ]

4 13 X 6 = [ ]   5 11 X 2 = [ ]   6 14 X 3 = [ ]

7 12 X 7 = [ ]   8 13 X 9 = [ ]   9 15 X 10 = [ ]

10 11 X 5 = [ ]   11 13 X 7 = [ ]   12 15 X 2 = [ ]

13 12 X 8 = [ ]   14 11 X 6 = [ ]   15 14 X 10 = [ ]

16 11 X 3 = [ ]   17 12 X 4 = [ ]   18 13 X 9 = [ ]

19 15 X 5 = [ ]   20 14 X 7 = [ ]   21 11 X 9 = [ ]

22 14 X 10 = [ ]   23 12 X 6 = [ ]   24 15 X 8 = [ ]

25 13 X 3 = [ ]   26 15 X 4 = [ ]   27 11 X 2 = [ ]

28 13 X 10 = [ ]   29 12 X 4 = [ ]   30 14 X 7 = [ ]

31 12 X 9 = [ ]   32 14 X 6 = [ ]   33 13 X 5 = [ ]

34 15 X 8 = [ ]   35 11 X 2 = [ ]   36 14 X 3 = [ ]

37 15 X 6 = [ ]   38 12 X 9 = [ ]   39 13 X 5 = [ ]

40 11 X 8 = [ ]   41 12 X 7 = [ ]   42 11 X 4 = [ ]

43 15 X 3 = [ ]   44 13 X 2 = [ ]   45 14 X 10 = [ ]

Multiplication Made Easy

Date: _____ Start: _____ Finish: _____ Score: _____

1. 14 X 3 = [ ]
2. 11 X 8 = [ ]
3. 12 X 6 = [ ]

4. 15 X 9 = [ ]
5. 13 X 7 = [ ]
6. 14 X 4 = [ ]

7. 15 X 5 = [ ]
8. 11 X 2 = [ ]
9. 13 X 10 = [ ]

10. 12 X 7 = [ ]
11. 13 X 3 = [ ]
12. 14 X 6 = [ ]

13. 12 X 9 = [ ]
14. 11 X 8 = [ ]
15. 15 X 4 = [ ]

16. 12 X 10 = [ ]
17. 13 X 2 = [ ]
18. 15 X 5 = [ ]

19. 11 X 3 = [ ]
20. 14 X 7 = [ ]
21. 15 X 9 = [ ]

22. 11 X 4 = [ ]
23. 13 X 10 = [ ]
24. 14 X 5 = [ ]

25. 12 X 6 = [ ]
26. 14 X 2 = [ ]
27. 11 X 8 = [ ]

28. 12 X 7 = [ ]
29. 13 X 9 = [ ]
30. 15 X 6 = [ ]

31. 12 X 5 = [ ]
32. 14 X 8 = [ ]
33. 13 X 3 = [ ]

34. 11 X 4 = [ ]
35. 15 X 10 = [ ]
36. 14 X 2 = [ ]

37. 15 X 8 = [ ]
38. 12 X 6 = [ ]
39. 13 X 4 = [ ]

40. 11 X 7 = [ ]
41. 15 X 5 = [ ]
42. 13 X 3 = [ ]

43. 11 X 10 = [ ]
44. 12 X 2 = [ ]
45. 14 X 9 = [ ]

Review: Multiplication Table 11 to 15 Mixed

Date: _____ Start: _____ Finish: _____ Score: _____

(1) 14 X 9 = ☐   (2) 12 X 4 = ☐   (3) 11 X 6 = ☐

(4) 13 X 8 = ☐   (5) 15 X 7 = ☐   (6) 12 X 2 = ☐

(7) 14 X 10 = ☐   (8) 11 X 5 = ☐   (9) 13 X 3 = ☐

(10) 15 X 9 = ☐   (11) 11 X 10 = ☐   (12) 15 X 7 = ☐

(13) 14 X 2 = ☐   (14) 13 X 4 = ☐   (15) 12 X 3 = ☐

(16) 13 X 5 = ☐   (17) 11 X 6 = ☐   (18) 14 X 8 = ☐

(19) 12 X 10 = ☐   (20) 15 X 4 = ☐   (21) 12 X 2 = ☐

(22) 13 X 8 = ☐   (23) 14 X 9 = ☐   (24) 11 X 7 = ☐

(25) 15 X 3 = ☐   (26) 13 X 5 = ☐   (27) 12 X 6 = ☐

(28) 14 X 10 = ☐   (29) 11 X 7 = ☐   (30) 15 X 8 = ☐

(31) 11 X 5 = ☐   (32) 12 X 6 = ☐   (33) 14 X 2 = ☐

(34) 13 X 4 = ☐   (35) 15 X 3 = ☐   (36) 12 X 9 = ☐

(37) 15 X 8 = ☐   (38) 14 X 9 = ☐   (39) 13 X 2 = ☐

(40) 11 X 10 = ☐   (41) 14 X 4 = ☐   (42) 13 X 5 = ☐

(43) 12 X 3 = ☐   (44) 11 X 7 = ☐   (45) 15 X 6 = ☐

Multiplication Made Easy

Date: _____   Start: _____   Finish: _____   Score: _____

(1) 16 X 10 = [ ]   (2) 16 X 7 = [ ]   (3) 16 X 8 = [ ]

(4) 16 X 2 = [ ]   (5) 16 X 5 = [ ]   (6) 16 X 6 = [ ]

(7) 16 X 3 = [ ]   (8) 16 X 9 = [ ]   (9) 16 X 4 = [ ]

(10) 16 X 6 = [ ]   (11) 16 X 7 = [ ]   (12) 16 X 5 = [ ]

(13) 16 X 10 = [ ]   (14) 16 X 4 = [ ]   (15) 16 X 2 = [ ]

(16) 16 X 8 = [ ]   (17) 16 X 3 = [ ]   (18) 16 X 9 = [ ]

(19) 16 X 8 = [ ]   (20) 16 X 3 = [ ]   (21) 16 X 2 = [ ]

(22) 16 X 6 = [ ]   (23) 16 X 10 = [ ]   (24) 16 X 4 = [ ]

(25) 16 X 7 = [ ]   (26) 16 X 5 = [ ]   (27) 16 X 9 = [ ]

(28) 16 X 10 = [ ]   (29) 16 X 2 = [ ]   (30) 16 X 5 = [ ]

(31) 16 X 7 = [ ]   (32) 16 X 3 = [ ]   (33) 16 X 8 = [ ]

(34) 16 X 6 = [ ]   (35) 16 X 9 = [ ]   (36) 16 X 4 = [ ]

(37) 16 X 10 = [ ]   (38) 16 X 4 = [ ]   (39) 16 X 6 = [ ]

(40) 16 X 9 = [ ]   (41) 16 X 2 = [ ]   (42) 16 X 5 = [ ]

(43) 16 X 8 = [ ]   (44) 16 X 7 = [ ]   (45) 16 X 3 = [ ]

Practice: Multiplication Table 16

Date: _____   Start: _____   Finish: _____   Score: _____

(1) 16 X 6 = ☐   (2) 16 X 4 = ☐   (3) 16 X 5 = ☐

(4) 16 X 3 = ☐   (5) 16 X 10 = ☐   (6) 16 X 9 = ☐

(7) 16 X 8 = ☐   (8) 16 X 2 = ☐   (9) 16 X 7 = ☐

(10) 16 X 10 = ☐   (11) 16 X 6 = ☐   (12) 16 X 2 = ☐

(13) 16 X 3 = ☐   (14) 16 X 8 = ☐   (15) 16 X 5 = ☐

(16) 16 X 7 = ☐   (17) 16 X 4 = ☐   (18) 16 X 9 = ☐

(19) 16 X 7 = ☐   (20) 16 X 5 = ☐   (21) 16 X 10 = ☐

(22) 16 X 9 = ☐   (23) 16 X 8 = ☐   (24) 16 X 2 = ☐

(25) 16 X 3 = ☐   (26) 16 X 6 = ☐   (27) 16 X 4 = ☐

(28) 16 X 10 = ☐   (29) 16 X 6 = ☐   (30) 16 X 9 = ☐

(31) 16 X 7 = ☐   (32) 16 X 2 = ☐   (33) 16 X 8 = ☐

(34) 16 X 5 = ☐   (35) 16 X 3 = ☐   (36) 16 X 4 = ☐

(37) 16 X 2 = ☐   (38) 16 X 4 = ☐   (39) 16 X 8 = ☐

(40) 16 X 9 = ☐   (41) 16 X 7 = ☐   (42) 16 X 3 = ☐

(43) 16 X 10 = ☐   (44) 16 X 5 = ☐   (45) 16 X 6 = ☐

Multiplication Made Easy

Date: _____   Start: _____   Finish: _____   Score: _____

(1) 16 X 6 = ____	(2) 16 X 10 = ____	(3) 16 X 8 = ____
(4) 16 X 5 = ____	(5) 16 X 4 = ____	(6) 16 X 9 = ____
(7) 16 X 7 = ____	(8) 16 X 3 = ____	(9) 16 X 2 = ____
(10) 16 X 8 = ____	(11) 16 X 6 = ____	(12) 16 X 5 = ____
(13) 16 X 4 = ____	(14) 16 X 2 = ____	(15) 16 X 7 = ____
(16) 16 X 9 = ____	(17) 16 X 10 = ____	(18) 16 X 3 = ____
(19) 16 X 5 = ____	(20) 16 X 8 = ____	(21) 16 X 4 = ____
(22) 16 X 6 = ____	(23) 16 X 3 = ____	(24) 16 X 2 = ____
(25) 16 X 10 = ____	(26) 16 X 9 = ____	(27) 16 X 7 = ____
(28) 16 X 5 = ____	(29) 16 X 10 = ____	(30) 16 X 2 = ____
(31) 16 X 4 = ____	(32) 16 X 9 = ____	(33) 16 X 7 = ____
(34) 16 X 3 = ____	(35) 16 X 6 = ____	(36) 16 X 8 = ____
(37) 16 X 4 = ____	(38) 16 X 6 = ____	(39) 16 X 8 = ____
(40) 16 X 7 = ____	(41) 16 X 5 = ____	(42) 16 X 9 = ____
(43) 16 X 3 = ____	(44) 16 X 2 = ____	(45) 16 X 10 = ____

Practice: Multiplication Table 17

Date: _____   Start: _____   Finish: _____   Score: _____

1	17 X 6 = ____	2	17 X 3 = ____	3	17 X 10 = ____
4	17 X 5 = ____	5	17 X 8 = ____	6	17 X 7 = ____
7	17 X 4 = ____	8	17 X 2 = ____	9	17 X 9 = ____
10	17 X 10 = ____	11	17 X 9 = ____	12	17 X 4 = ____
13	17 X 8 = ____	14	17 X 5 = ____	15	17 X 7 = ____
16	17 X 3 = ____	17	17 X 2 = ____	18	17 X 6 = ____
19	17 X 5 = ____	20	17 X 8 = ____	21	17 X 7 = ____
22	17 X 2 = ____	23	17 X 10 = ____	24	17 X 9 = ____
25	17 X 4 = ____	26	17 X 6 = ____	27	17 X 3 = ____
28	17 X 7 = ____	29	17 X 10 = ____	30	17 X 5 = ____
31	17 X 8 = ____	32	17 X 2 = ____	33	17 X 6 = ____
34	17 X 3 = ____	35	17 X 9 = ____	36	17 X 4 = ____
37	17 X 3 = ____	38	17 X 2 = ____	39	17 X 8 = ____
40	17 X 5 = ____	41	17 X 6 = ____	42	17 X 10 = ____
43	17 X 9 = ____	44	17 X 7 = ____	45	17 X 4 = ____

Multiplication Made Easy

Date: _____   Start: _____   Finish: _____   Score: _____

(1) 17 X 10 = [ ]   (2) 17 X 2 = [ ]   (3) 17 X 7 = [ ]

(4) 17 X 3 = [ ]   (5) 17 X 5 = [ ]   (6) 17 X 9 = [ ]

(7) 17 X 8 = [ ]   (8) 17 X 6 = [ ]   (9) 17 X 4 = [ ]

(10) 17 X 5 = [ ]   (11) 17 X 2 = [ ]   (12) 17 X 10 = [ ]

(13) 17 X 6 = [ ]   (14) 17 X 7 = [ ]   (15) 17 X 9 = [ ]

(16) 17 X 8 = [ ]   (17) 17 X 4 = [ ]   (18) 17 X 3 = [ ]

(19) 17 X 10 = [ ]   (20) 17 X 9 = [ ]   (21) 17 X 3 = [ ]

(22) 17 X 8 = [ ]   (23) 17 X 7 = [ ]   (24) 17 X 4 = [ ]

(25) 17 X 6 = [ ]   (26) 17 X 2 = [ ]   (27) 17 X 5 = [ ]

(28) 17 X 3 = [ ]   (29) 17 X 7 = [ ]   (30) 17 X 8 = [ ]

(31) 17 X 2 = [ ]   (32) 17 X 6 = [ ]   (33) 17 X 9 = [ ]

(34) 17 X 4 = [ ]   (35) 17 X 5 = [ ]   (36) 17 X 10 = [ ]

(37) 17 X 9 = [ ]   (38) 17 X 6 = [ ]   (39) 17 X 4 = [ ]

(40) 17 X 5 = [ ]   (41) 17 X 3 = [ ]   (42) 17 X 10 = [ ]

(43) 17 X 7 = [ ]   (44) 17 X 8 = [ ]   (45) 17 X 2 = [ ]

Practice: Multiplication Table 17

Date: _____   Start: _____   Finish: _____   Score: _____

1. 17 X 5 = ☐
2. 17 X 9 = ☐
3. 17 X 8 = ☐

4. 17 X 6 = ☐
5. 17 X 2 = ☐
6. 17 X 4 = ☐

7. 17 X 10 = ☐
8. 17 X 7 = ☐
9. 17 X 3 = ☐

10. 17 X 2 = ☐
11. 17 X 8 = ☐
12. 17 X 5 = ☐

13. 17 X 3 = ☐
14. 17 X 10 = ☐
15. 17 X 9 = ☐

16. 17 X 6 = ☐
17. 17 X 4 = ☐
18. 17 X 7 = ☐

19. 17 X 3 = ☐
20. 17 X 6 = ☐
21. 17 X 4 = ☐

22. 17 X 5 = ☐
23. 17 X 9 = ☐
24. 17 X 8 = ☐

25. 17 X 10 = ☐
26. 17 X 2 = ☐
27. 17 X 7 = ☐

28. 17 X 9 = ☐
29. 17 X 8 = ☐
30. 17 X 6 = ☐

31. 17 X 4 = ☐
32. 17 X 5 = ☐
33. 17 X 3 = ☐

34. 17 X 7 = ☐
35. 17 X 10 = ☐
36. 17 X 2 = ☐

37. 17 X 9 = ☐
38. 17 X 10 = ☐
39. 17 X 6 = ☐

40. 17 X 7 = ☐
41. 17 X 5 = ☐
42. 17 X 8 = ☐

43. 17 X 3 = ☐
44. 17 X 2 = ☐
45. 17 X 4 = ☐

Multiplication Made Easy

Date: _____   Start: _____   Finish: _____   Score: _____

(1) $18 \times 5 =$ ☐	(2) $18 \times 2 =$ ☐	(3) $18 \times 4 =$ ☐
(4) $18 \times 6 =$ ☐	(5) $18 \times 3 =$ ☐	(6) $18 \times 10 =$ ☐
(7) $18 \times 9 =$ ☐	(8) $18 \times 8 =$ ☐	(9) $18 \times 7 =$ ☐
(10) $18 \times 5 =$ ☐	(11) $18 \times 9 =$ ☐	(12) $18 \times 3 =$ ☐
(13) $18 \times 7 =$ ☐	(14) $18 \times 10 =$ ☐	(15) $18 \times 8 =$ ☐
(16) $18 \times 4 =$ ☐	(17) $18 \times 6 =$ ☐	(18) $18 \times 2 =$ ☐
(19) $18 \times 3 =$ ☐	(20) $18 \times 10 =$ ☐	(21) $18 \times 8 =$ ☐
(22) $18 \times 6 =$ ☐	(23) $18 \times 9 =$ ☐	(24) $18 \times 5 =$ ☐
(25) $18 \times 2 =$ ☐	(26) $18 \times 7 =$ ☐	(27) $18 \times 4 =$ ☐
(28) $18 \times 5 =$ ☐	(29) $18 \times 8 =$ ☐	(30) $18 \times 7 =$ ☐
(31) $18 \times 10 =$ ☐	(32) $18 \times 6 =$ ☐	(33) $18 \times 3 =$ ☐
(34) $18 \times 2 =$ ☐	(35) $18 \times 9 =$ ☐	(36) $18 \times 4 =$ ☐
(37) $18 \times 5 =$ ☐	(38) $18 \times 9 =$ ☐	(39) $18 \times 10 =$ ☐
(40) $18 \times 4 =$ ☐	(41) $18 \times 7 =$ ☐	(42) $18 \times 8 =$ ☐
(43) $18 \times 3 =$ ☐	(44) $18 \times 2 =$ ☐	(45) $18 \times 6 =$ ☐

Practice: Multiplication Table 18

Date: _____   Start: _____   Finish: _____   Score: _____

(1) 18 X 5 = ☐	(2) 18 X 8 = ☐	(3) 18 X 2 = ☐
(4) 18 X 6 = ☐	(5) 18 X 10 = ☐	(6) 18 X 4 = ☐
(7) 18 X 7 = ☐	(8) 18 X 9 = ☐	(9) 18 X 3 = ☐
(10) 18 X 6 = ☐	(11) 18 X 10 = ☐	(12) 18 X 7 = ☐
(13) 18 X 2 = ☐	(14) 18 X 4 = ☐	(15) 18 X 3 = ☐
(16) 18 X 9 = ☐	(17) 18 X 5 = ☐	(18) 18 X 8 = ☐
(19) 18 X 9 = ☐	(20) 18 X 4 = ☐	(21) 18 X 3 = ☐
(22) 18 X 8 = ☐	(23) 18 X 10 = ☐	(24) 18 X 5 = ☐
(25) 18 X 6 = ☐	(26) 18 X 7 = ☐	(27) 18 X 2 = ☐
(28) 18 X 3 = ☐	(29) 18 X 5 = ☐	(30) 18 X 2 = ☐
(31) 18 X 9 = ☐	(32) 18 X 7 = ☐	(33) 18 X 10 = ☐
(34) 18 X 8 = ☐	(35) 18 X 4 = ☐	(36) 18 X 6 = ☐
(37) 18 X 4 = ☐	(38) 18 X 6 = ☐	(39) 18 X 10 = ☐
(40) 18 X 8 = ☐	(41) 18 X 9 = ☐	(42) 18 X 2 = ☐
(43) 18 X 7 = ☐	(44) 18 X 3 = ☐	(45) 18 X 5 = ☐

Multiplication Made Easy

Date: _____   Start: _____   Finish: _____   Score: _____

(1) 18 X 7 = [ ]   (2) 18 X 6 = [ ]   (3) 18 X 8 = [ ]

(4) 18 X 2 = [ ]   (5) 18 X 9 = [ ]   (6) 18 X 3 = [ ]

(7) 18 X 10 = [ ]   (8) 18 X 5 = [ ]   (9) 18 X 4 = [ ]

(10) 18 X 8 = [ ]   (11) 18 X 3 = [ ]   (12) 18 X 10 = [ ]

(13) 18 X 5 = [ ]   (14) 18 X 7 = [ ]   (15) 18 X 4 = [ ]

(16) 18 X 2 = [ ]   (17) 18 X 9 = [ ]   (18) 18 X 6 = [ ]

(19) 18 X 10 = [ ]   (20) 18 X 4 = [ ]   (21) 18 X 3 = [ ]

(22) 18 X 8 = [ ]   (23) 18 X 6 = [ ]   (24) 18 X 7 = [ ]

(25) 18 X 5 = [ ]   (26) 18 X 2 = [ ]   (27) 18 X 9 = [ ]

(28) 18 X 6 = [ ]   (29) 18 X 10 = [ ]   (30) 18 X 4 = [ ]

(31) 18 X 3 = [ ]   (32) 18 X 9 = [ ]   (33) 18 X 7 = [ ]

(34) 18 X 5 = [ ]   (35) 18 X 8 = [ ]   (36) 18 X 2 = [ ]

(37) 18 X 6 = [ ]   (38) 18 X 7 = [ ]   (39) 18 X 5 = [ ]

(40) 18 X 4 = [ ]   (41) 18 X 9 = [ ]   (42) 18 X 2 = [ ]

(43) 18 X 10 = [ ]   (44) 18 X 8 = [ ]   (45) 18 X 3 = [ ]

Copyright © Mathyz Learning

Multiplication Made Easy

Practice: Multiplication Table 19

Date: _____   Start: _____   Finish: _____   Score: _____

1. 19 X 3 = ☐   2. 19 X 6 = ☐   3. 19 X 8 = ☐

4. 19 X 2 = ☐   5. 19 X 9 = ☐   6. 19 X 7 = ☐

7. 19 X 5 = ☐   8. 19 X 4 = ☐   9. 19 X 10 = ☐

10. 19 X 7 = ☐   11. 19 X 6 = ☐   12. 19 X 5 = ☐

13. 19 X 8 = ☐   14. 19 X 9 = ☐   15. 19 X 10 = ☐

16. 19 X 2 = ☐   17. 19 X 4 = ☐   18. 19 X 3 = ☐

19. 19 X 7 = ☐   20. 19 X 5 = ☐   21. 19 X 3 = ☐

22. 19 X 4 = ☐   23. 19 X 8 = ☐   24. 19 X 10 = ☐

25. 19 X 2 = ☐   26. 19 X 9 = ☐   27. 19 X 6 = ☐

28. 19 X 8 = ☐   29. 19 X 10 = ☐   30. 19 X 2 = ☐

31. 19 X 5 = ☐   32. 19 X 9 = ☐   33. 19 X 4 = ☐

34. 19 X 7 = ☐   35. 19 X 6 = ☐   36. 19 X 3 = ☐

37. 19 X 7 = ☐   38. 19 X 6 = ☐   39. 19 X 9 = ☐

40. 19 X 4 = ☐   41. 19 X 3 = ☐   42. 19 X 10 = ☐

43. 19 X 8 = ☐   44. 19 X 5 = ☐   45. 19 X 2 = ☐

Multiplication Made Easy

Date: _____   Start: _____   Finish: _____   Score: _____

1   19 X 8 = [ ]   2   19 X 2 = [ ]   3   19 X 10 = [ ]

4   19 X 3 = [ ]   5   19 X 9 = [ ]   6   19 X 7 = [ ]

7   19 X 6 = [ ]   8   19 X 4 = [ ]   9   19 X 5 = [ ]

10 19 X 9 = [ ]   11 19 X 10 = [ ]   12 19 X 4 = [ ]

13 19 X 2 = [ ]   14 19 X 8 = [ ]   15 19 X 3 = [ ]

16 19 X 6 = [ ]   17 19 X 7 = [ ]   18 19 X 5 = [ ]

19 19 X 8 = [ ]   20 19 X 6 = [ ]   21 19 X 3 = [ ]

22 19 X 10 = [ ]   23 19 X 4 = [ ]   24 19 X 5 = [ ]

25 19 X 9 = [ ]   26 19 X 2 = [ ]   27 19 X 7 = [ ]

28 19 X 10 = [ ]   29 19 X 2 = [ ]   30 19 X 3 = [ ]

31 19 X 5 = [ ]   32 19 X 7 = [ ]   33 19 X 4 = [ ]

34 19 X 9 = [ ]   35 19 X 6 = [ ]   36 19 X 8 = [ ]

37 19 X 3 = [ ]   38 19 X 8 = [ ]   39 19 X 6 = [ ]

40 19 X 9 = [ ]   41 19 X 7 = [ ]   42 19 X 5 = [ ]

43 19 X 2 = [ ]   44 19 X 10 = [ ]   45 19 X 4 = [ ]

Practice: Multiplication Table 19

Date: _____   Start: _____   Finish: _____   Score: _____

1 19 X 7 = [   ]   2 19 X 4 = [   ]   3 19 X 8 = [   ]

4 19 X 3 = [   ]   5 19 X 5 = [   ]   6 19 X 6 = [   ]

7 19 X 10 = [   ]   8 19 X 9 = [   ]   9 19 X 2 = [   ]

10 19 X 9 = [   ]   11 19 X 6 = [   ]   12 19 X 5 = [   ]

13 19 X 4 = [   ]   14 19 X 7 = [   ]   15 19 X 2 = [   ]

16 19 X 8 = [   ]   17 19 X 3 = [   ]   18 19 X 10 = [   ]

19 19 X 5 = [   ]   20 19 X 7 = [   ]   21 19 X 8 = [   ]

22 19 X 2 = [   ]   23 19 X 10 = [   ]   24 19 X 4 = [   ]

25 19 X 3 = [   ]   26 19 X 9 = [   ]   27 19 X 6 = [   ]

28 19 X 3 = [   ]   29 19 X 2 = [   ]   30 19 X 5 = [   ]

31 19 X 6 = [   ]   32 19 X 8 = [   ]   33 19 X 7 = [   ]

34 19 X 9 = [   ]   35 19 X 10 = [   ]   36 19 X 4 = [   ]

37 19 X 6 = [   ]   38 19 X 9 = [   ]   39 19 X 5 = [   ]

40 19 X 10 = [   ]   41 19 X 4 = [   ]   42 19 X 3 = [   ]

43 19 X 7 = [   ]   44 19 X 8 = [   ]   45 19 X 2 = [   ]

Multiplication Made Easy

Date: _____   Start: _____   Finish: _____   Score: _____

1 20 X 8 = ____   2 20 X 10 = ____   3 20 X 4 = ____

4 20 X 2 = ____   5 20 X 7 = ____   6 20 X 9 = ____

7 20 X 5 = ____   8 20 X 3 = ____   9 20 X 6 = ____

10 20 X 9 = ____   11 20 X 3 = ____   12 20 X 8 = ____

13 20 X 6 = ____   14 20 X 10 = ____   15 20 X 7 = ____

16 20 X 2 = ____   17 20 X 5 = ____   18 20 X 4 = ____

19 20 X 9 = ____   20 20 X 4 = ____   21 20 X 5 = ____

22 20 X 8 = ____   23 20 X 2 = ____   24 20 X 3 = ____

25 20 X 10 = ____   26 20 X 7 = ____   27 20 X 6 = ____

28 20 X 8 = ____   29 20 X 3 = ____   30 20 X 10 = ____

31 20 X 9 = ____   32 20 X 4 = ____   33 20 X 5 = ____

34 20 X 7 = ____   35 20 X 6 = ____   36 20 X 2 = ____

37 20 X 7 = ____   38 20 X 2 = ____   39 20 X 10 = ____

40 20 X 5 = ____   41 20 X 8 = ____   42 20 X 3 = ____

43 20 X 9 = ____   44 20 X 4 = ____   45 20 X 6 = ____

Multiplication Made Easy

Practice: Multiplication Table 20

Date: _____   Start: _____   Finish: _____   Score: _____

① 20 X 8 = [ ]   ② 20 X 10 = [ ]   ③ 20 X 2 = [ ]

④ 20 X 3 = [ ]   ⑤ 20 X 4 = [ ]   ⑥ 20 X 9 = [ ]

⑦ 20 X 6 = [ ]   ⑧ 20 X 5 = [ ]   ⑨ 20 X 7 = [ ]

⑩ 20 X 6 = [ ]   ⑪ 20 X 9 = [ ]   ⑫ 20 X 3 = [ ]

⑬ 20 X 8 = [ ]   ⑭ 20 X 5 = [ ]   ⑮ 20 X 10 = [ ]

⑯ 20 X 7 = [ ]   ⑰ 20 X 4 = [ ]   ⑱ 20 X 2 = [ ]

⑲ 20 X 5 = [ ]   ⑳ 20 X 7 = [ ]   ㉑ 20 X 2 = [ ]

㉒ 20 X 8 = [ ]   ㉓ 20 X 6 = [ ]   ㉔ 20 X 3 = [ ]

㉕ 20 X 10 = [ ]   ㉖ 20 X 9 = [ ]   ㉗ 20 X 4 = [ ]

㉘ 20 X 2 = [ ]   ㉙ 20 X 5 = [ ]   ㉚ 20 X 3 = [ ]

㉛ 20 X 10 = [ ]   ㉜ 20 X 4 = [ ]   ㉝ 20 X 7 = [ ]

㉞ 20 X 9 = [ ]   ㉟ 20 X 6 = [ ]   ㊱ 20 X 8 = [ ]

㊲ 20 X 5 = [ ]   ㊳ 20 X 10 = [ ]   ㊴ 20 X 9 = [ ]

㊵ 20 X 8 = [ ]   ㊶ 20 X 4 = [ ]   ㊷ 20 X 2 = [ ]

㊸ 20 X 3 = [ ]   ㊹ 20 X 6 = [ ]   ㊺ 20 X 7 = [ ]

Multiplication Made Easy

Date: _____   Start: _____   Finish: _____   Score: _____

(1) 20 X 7 = [ ]	(2) 20 X 2 = [ ]	(3) 20 X 10 = [ ]
(4) 20 X 9 = [ ]	(5) 20 X 3 = [ ]	(6) 20 X 6 = [ ]
(7) 20 X 8 = [ ]	(8) 20 X 4 = [ ]	(9) 20 X 5 = [ ]
(10) 20 X 3 = [ ]	(11) 20 X 8 = [ ]	(12) 20 X 6 = [ ]
(13) 20 X 7 = [ ]	(14) 20 X 4 = [ ]	(15) 20 X 10 = [ ]
(16) 20 X 2 = [ ]	(17) 20 X 9 = [ ]	(18) 20 X 5 = [ ]
(19) 20 X 8 = [ ]	(20) 20 X 10 = [ ]	(21) 20 X 2 = [ ]
(22) 20 X 4 = [ ]	(23) 20 X 3 = [ ]	(24) 20 X 9 = [ ]
(25) 20 X 5 = [ ]	(26) 20 X 7 = [ ]	(27) 20 X 6 = [ ]
(28) 20 X 3 = [ ]	(29) 20 X 5 = [ ]	(30) 20 X 10 = [ ]
(31) 20 X 6 = [ ]	(32) 20 X 2 = [ ]	(33) 20 X 9 = [ ]
(34) 20 X 4 = [ ]	(35) 20 X 8 = [ ]	(36) 20 X 7 = [ ]
(37) 20 X 5 = [ ]	(38) 20 X 9 = [ ]	(39) 20 X 10 = [ ]
(40) 20 X 2 = [ ]	(41) 20 X 6 = [ ]	(42) 20 X 4 = [ ]
(43) 20 X 8 = [ ]	(44) 20 X 7 = [ ]	(45) 20 X 3 = [ ]

Review: Multiplication Table 16 to 20 Mixed

Date: _____   Start: _____   Finish: _____   Score: _____

1 20 X 10 = _____   **2** 18 X 8 = _____   **3** 19 X 9 = _____

4 16 X 6 = _____   **5** 17 X 7 = _____   **6** 16 X 2 = _____

7 18 X 5 = _____   **8** 17 X 3 = _____   **9** 20 X 4 = _____

10 19 X 3 = _____   **11** 16 X 8 = _____   **12** 19 X 4 = _____

13 20 X 5 = _____   **14** 18 X 10 = _____   **15** 17 X 7 = _____

16 16 X 2 = _____   **17** 20 X 9 = _____   **18** 17 X 6 = _____

19 18 X 7 = _____   **20** 19 X 2 = _____   **21** 16 X 9 = _____

22 18 X 3 = _____   **23** 20 X 8 = _____   **24** 17 X 10 = _____

25 19 X 4 = _____   **26** 18 X 5 = _____   **27** 19 X 6 = _____

28 16 X 9 = _____   **29** 20 X 8 = _____   **30** 17 X 6 = _____

31 16 X 3 = _____   **32** 19 X 5 = _____   **33** 17 X 2 = _____

34 20 X 10 = _____   **35** 18 X 4 = _____   **36** 17 X 7 = _____

37 19 X 9 = _____   **38** 20 X 7 = _____   **39** 18 X 5 = _____

40 16 X 4 = _____   **41** 18 X 6 = _____   **42** 17 X 10 = _____

43 19 X 3 = _____   **44** 20 X 2 = _____   **45** 16 X 8 = _____

Multiplication Made Easy

Date: _____   Start: _____   Finish: _____   Score: _____

(1) 18 X 6 = _____   (2) 16 X 7 = _____   (3) 17 X 4 = _____

(4) 20 X 2 = _____   (5) 19 X 3 = _____   (6) 18 X 9 = _____

(7) 16 X 5 = _____   (8) 20 X 10 = _____   (9) 17 X 8 = _____

(10) 19 X 6 = _____   (11) 18 X 9 = _____   (12) 20 X 7 = _____

(13) 16 X 5 = _____   (14) 17 X 2 = _____   (15) 19 X 3 = _____

(16) 20 X 8 = _____   (17) 18 X 4 = _____   (18) 16 X 10 = _____

(19) 17 X 2 = _____   (20) 19 X 5 = _____   (21) 17 X 8 = _____

(22) 20 X 9 = _____   (23) 18 X 3 = _____   (24) 19 X 10 = _____

(25) 16 X 4 = _____   (26) 17 X 6 = _____   (27) 19 X 7 = _____

(28) 20 X 10 = _____ (29) 16 X 4 = _____   (30) 18 X 9 = _____

(31) 19 X 7 = _____   (32) 18 X 5 = _____   (33) 20 X 6 = _____

(34) 17 X 3 = _____   (35) 16 X 2 = _____   (36) 17 X 8 = _____

(37) 20 X 5 = _____   (38) 16 X 10 = _____ (39) 18 X 2 = _____

(40) 19 X 8 = _____   (41) 17 X 3 = _____   (42) 19 X 9 = _____

(43) 16 X 4 = _____   (44) 20 X 6 = _____   (45) 18 X 7 = _____

Copyright © Mathyz Learning

Multiplication Made Easy

Review: Multiplication Table 16 to 20 Mixed

Date: _____   Start: _____   Finish: _____   Score: _____

1	19 X 4 = ☐	2	20 X 10 = ☐	3	16 X 5 = ☐
4	17 X 7 = ☐	5	18 X 8 = ☐	6	20 X 6 = ☐
7	16 X 3 = ☐	8	18 X 9 = ☐	9	17 X 2 = ☐
10	19 X 3 = ☐	11	18 X 10 = ☐	12	20 X 9 = ☐
13	17 X 6 = ☐	14	16 X 7 = ☐	15	19 X 4 = ☐
16	16 X 2 = ☐	17	20 X 8 = ☐	18	19 X 5 = ☐
19	17 X 2 = ☐	20	18 X 6 = ☐	21	19 X 3 = ☐
22	17 X 5 = ☐	23	18 X 9 = ☐	24	16 X 8 = ☐
25	20 X 4 = ☐	26	19 X 7 = ☐	27	18 X 10 = ☐
28	20 X 8 = ☐	29	16 X 9 = ☐	30	17 X 3 = ☐
31	19 X 6 = ☐	32	16 X 7 = ☐	33	17 X 2 = ☐
34	18 X 4 = ☐	35	20 X 5 = ☐	36	17 X 10 = ☐
37	19 X 3 = ☐	38	20 X 4 = ☐	39	16 X 10 = ☐
40	18 X 7 = ☐	41	16 X 2 = ☐	42	17 X 6 = ☐
43	18 X 5 = ☐	44	20 X 8 = ☐	45	19 X 9 = ☐

Multiplication Made Easy

Date: _____ Start: _____ Finish: _____ Score: _____

1	16 X 6 =	2	20 X 9 =	3	17 X 4 =
4	18 X 3 =	5	19 X 5 =	6	18 X 7 =
7	16 X 2 =	8	20 X 10 =	9	19 X 8 =
10	17 X 4 =	11	20 X 3 =	12	16 X 5 =
13	17 X 2 =	14	18 X 8 =	15	19 X 7 =
16	17 X 10 =	17	18 X 6 =	18	16 X 9 =
19	19 X 2 =	20	20 X 3 =	21	18 X 9 =
22	20 X 8 =	23	17 X 5 =	24	19 X 10 =
25	16 X 6 =	26	19 X 7 =	27	16 X 4 =
28	20 X 3 =	29	18 X 8 =	30	17 X 4 =
31	20 X 2 =	32	19 X 10 =	33	17 X 5 =
34	16 X 6 =	35	18 X 7 =	36	16 X 9 =
37	19 X 5 =	38	18 X 4 =	39	20 X 2 =
40	17 X 10 =	41	16 X 3 =	42	18 X 9 =
43	19 X 8 =	44	20 X 6 =	45	17 X 7 =

Review: Multiplication Table 16 to 20 Mixed

Date: _____   Start: _____   Finish: _____   Score: _____

1. 17 X 5 = ☐   2. 20 X 6 = ☐   3. 18 X 4 = ☐

4. 16 X 9 = ☐   5. 19 X 10 = ☐   6. 18 X 2 = ☐

7. 20 X 8 = ☐   8. 16 X 7 = ☐   9. 19 X 3 = ☐

10. 17 X 7 = ☐   11. 20 X 2 = ☐   12. 19 X 8 = ☐

13. 16 X 3 = ☐   14. 17 X 6 = ☐   15. 18 X 4 = ☐

16. 16 X 5 = ☐   17. 19 X 9 = ☐   18. 18 X 10 = ☐

19. 17 X 7 = ☐   20. 20 X 10 = ☐   21. 19 X 4 = ☐

22. 18 X 2 = ☐   23. 17 X 5 = ☐   24. 20 X 8 = ☐

25. 16 X 9 = ☐   26. 17 X 6 = ☐   27. 16 X 3 = ☐

28. 18 X 8 = ☐   29. 20 X 7 = ☐   30. 19 X 9 = ☐

31. 16 X 3 = ☐   32. 20 X 2 = ☐   33. 19 X 10 = ☐

34. 18 X 5 = ☐   35. 17 X 6 = ☐   36. 18 X 4 = ☐

37. 20 X 9 = ☐   38. 17 X 4 = ☐   39. 16 X 5 = ☐

40. 19 X 2 = ☐   41. 17 X 7 = ☐   42. 18 X 8 = ☐

43. 20 X 6 = ☐   44. 19 X 10 = ☐   45. 16 X 3 = ☐

Multiplication Made Easy

Date: _____   Start: _____   Finish: _____   Score: _____

1) 17 X 5 = _____   2) 3 X 9 = _____   3) 13 X 7 = _____

4) 9 X 3 = _____   5) 15 X 4 = _____   6) 16 X 8 = _____

7) 7 X 6 = _____   8) 11 X 10 = _____   9) 5 X 2 = _____

10) 2 X 5 = _____   11) 18 X 10 = _____   12) 19 X 6 = _____

13) 20 X 4 = _____   14) 12 X 9 = _____   15) 10 X 8 = _____

16) 14 X 7 = _____   17) 8 X 3 = _____   18) 6 X 2 = _____

19) 4 X 5 = _____   20) 7 X 8 = _____   21) 4 X 3 = _____

22) 8 X 9 = _____   23) 18 X 6 = _____   24) 16 X 4 = _____

25) 10 X 10 = _____   26) 5 X 7 = _____   27) 6 X 2 = _____

28) 15 X 8 = _____   29) 2 X 3 = _____   30) 12 X 5 = _____

31) 13 X 9 = _____   32) 20 X 7 = _____   33) 9 X 10 = _____

34) 19 X 6 = _____   35) 17 X 4 = _____   36) 11 X 2 = _____

37) 3 X 3 = _____   38) 14 X 4 = _____   39) 20 X 8 = _____

40) 5 X 2 = _____   41) 17 X 10 = _____   42) 18 X 9 = _____

43) 9 X 6 = _____   44) 8 X 5 = _____   45) 2 X 7 = _____

Review: Multiplication Table 2 to 20 Mixed

Date: _____   Start: _____   Finish: _____   Score: _____

1. 12 X 4 = [ ]   2. 18 X 3 = [ ]   3. 20 X 5 = [ ]

4. 2 X 8 = [ ]   5. 16 X 6 = [ ]   6. 11 X 9 = [ ]

7. 4 X 10 = [ ]   8. 15 X 2 = [ ]   9. 7 X 7 = [ ]

10. 8 X 3 = [ ]   11. 5 X 2 = [ ]   12. 6 X 5 = [ ]

13. 9 X 7 = [ ]   14. 3 X 10 = [ ]   15. 17 X 9 = [ ]

16. 10 X 8 = [ ]   17. 13 X 6 = [ ]   18. 14 X 4 = [ ]

19. 19 X 10 = [ ]   20. 4 X 4 = [ ]   21. 3 X 9 = [ ]

22. 19 X 3 = [ ]   23. 20 X 6 = [ ]   24. 8 X 5 = [ ]

25. 14 X 7 = [ ]   26. 15 X 8 = [ ]   27. 7 X 2 = [ ]

28. 5 X 5 = [ ]   29. 2 X 3 = [ ]   30. 16 X 10 = [ ]

31. 12 X 6 = [ ]   32. 11 X 8 = [ ]   33. 6 X 7 = [ ]

34. 9 X 9 = [ ]   35. 13 X 4 = [ ]   36. 10 X 2 = [ ]

37. 18 X 10 = [ ]   38. 17 X 6 = [ ]   39. 19 X 3 = [ ]

40. 3 X 9 = [ ]   41. 12 X 8 = [ ]   42. 8 X 2 = [ ]

43. 18 X 7 = [ ]   44. 10 X 5 = [ ]   45. 16 X 4 = [ ]

Multiplication Made Easy

Date: _____   Start: _____   Finish: _____   Score: _____

1 10 X 8 = ☐	**2** 8 X 4 = ☐	**3** 5 X 2 = ☐
4 13 X 9 = ☐	**5** 4 X 3 = ☐	**6** 17 X 10 = ☐
7 11 X 6 = ☐	**8** 3 X 7 = ☐	**9** 9 X 5 = ☐
10 2 X 7 = ☐	**11** 19 X 9 = ☐	**12** 6 X 2 = ☐
13 16 X 5 = ☐	**14** 14 X 4 = ☐	**15** 15 X 10 = ☐
16 12 X 3 = ☐	**17** 18 X 6 = ☐	**18** 7 X 8 = ☐
19 20 X 3 = ☐	**20** 7 X 9 = ☐	**21** 17 X 8 = ☐
22 19 X 10 = ☐	**23** 6 X 7 = ☐	**24** 3 X 4 = ☐
25 12 X 6 = ☐	**26** 4 X 5 = ☐	**27** 8 X 2 = ☐
28 14 X 5 = ☐	**29** 15 X 10 = ☐	**30** 10 X 6 = ☐
31 5 X 8 = ☐	**32** 2 X 7 = ☐	**33** 9 X 2 = ☐
34 18 X 3 = ☐	**35** 16 X 9 = ☐	**36** 20 X 4 = ☐
37 13 X 10 = ☐	**38** 11 X 9 = ☐	**39** 14 X 5 = ☐
40 9 X 4 = ☐	**41** 3 X 6 = ☐	**42** 10 X 8 = ☐
43 12 X 2 = ☐	**44** 13 X 7 = ☐	**45** 4 X 3 = ☐

Review: Multiplication Table 2 to 20 Mixed

Date: _____   Start: _____   Finish: _____   Score: _____

(1) 16 X 5 = _____   (2) 2 X 9 = _____   (3) 11 X 7 = _____

(4) 12 X 6 = _____   (5) 19 X 8 = _____   (6) 9 X 10 = _____

(7) 18 X 4 = _____   (8) 3 X 3 = _____   (9) 20 X 2 = _____

(10) 6 X 6 = _____   (11) 4 X 9 = _____   (12) 13 X 5 = _____

(13) 15 X 2 = _____   (14) 8 X 7 = _____   (15) 10 X 4 = _____

(16) 17 X 8 = _____   (17) 5 X 10 = _____   (18) 7 X 3 = _____

(19) 14 X 8 = _____   (20) 18 X 6 = _____   (21) 20 X 5 = _____

(22) 11 X 7 = _____   (23) 4 X 3 = _____   (24) 7 X 10 = _____

(25) 16 X 2 = _____   (26) 6 X 9 = _____   (27) 14 X 4 = _____

(28) 12 X 7 = _____   (29) 19 X 5 = _____   (30) 8 X 9 = _____

(31) 17 X 8 = _____   (32) 13 X 4 = _____   (33) 10 X 6 = _____

(34) 15 X 2 = _____   (35) 5 X 3 = _____   (36) 2 X 10 = _____

(37) 3 X 7 = _____   (38) 9 X 2 = _____   (39) 6 X 4 = _____

(40) 15 X 6 = _____   (41) 20 X 5 = _____   (42) 12 X 10 = _____

(43) 2 X 9 = _____   (44) 7 X 3 = _____   (45) 10 X 8 = _____

Multiplication Made Easy

Date: _____   Start: _____   Finish: _____   Score: _____

(1) 2 X 8 =	(2) 11 X 6 =	(3) 10 X 2 =
(4) 9 X 10 =	(5) 14 X 7 =	(6) 20 X 4 =
(7) 3 X 5 =	(8) 8 X 3 =	(9) 15 X 9 =
(10) 4 X 6 =	(11) 19 X 3 =	(12) 6 X 9 =
(13) 18 X 2 =	(14) 16 X 10 =	(15) 17 X 5 =
(16) 5 X 4 =	(17) 13 X 7 =	(18) 7 X 8 =
(19) 12 X 7 =	(20) 14 X 4 =	(21) 2 X 8 =
(22) 6 X 5 =	(23) 12 X 10 =	(24) 17 X 6 =
(25) 3 X 9 =	(26) 16 X 2 =	(27) 15 X 3 =
(28) 13 X 8 =	(29) 7 X 2 =	(30) 4 X 4 =
(31) 19 X 5 =	(32) 20 X 6 =	(33) 9 X 9 =
(34) 5 X 10 =	(35) 18 X 3 =	(36) 11 X 7 =
(37) 8 X 10 =	(38) 10 X 5 =	(39) 4 X 6 =
(40) 3 X 9 =	(41) 11 X 7 =	(42) 5 X 4 =
(43) 9 X 8 =	(44) 18 X 2 =	(45) 20 X 3 =

Answer Key

Page 5

1. 10
2. 14
3. 4
4. 12
5. 8
6. 16
7. 6
8. 20
9. 18
10. 8
11. 4
12. 6
13. 10
14. 12
15. 16
16. 18
17. 14
18. 20
19. 8
20. 6
21. 12
22. 10
23. 16
24. 18
25. 20
26. 14
27. 4
28. 8
29. 16
30. 6
31. 10
32. 12
33. 4
34. 14
35. 20
36. 18
37. 4
38. 8
39. 10
40. 18
41. 20
42. 6
43. 14
44. 12
45. 16

Page 6

1. 6
2. 12
3. 14
4. 10
5. 8
6. 18
7. 20
8. 16
9. 4
10. 16
11. 20
12. 18
13. 6
14. 8
15. 10
16. 4
17. 14
18. 12
19. 6
20. 14
21. 12
22. 8
23. 10
24. 20
25. 18
26. 4
27. 16
28. 4
29. 14
30. 12
31. 16
32. 10
33. 20
34. 18
35. 8
36. 6
37. 16
38. 4
39. 14
40. 6
41. 10
42. 8
43. 18
44. 12
45. 20

Page 7

1. 6
2. 4
3. 14
4. 8
5. 16
6. 18
7. 20
8. 12
9. 10
10. 18
11. 6
12. 20
13. 12
14. 16
15. 10
16. 4
17. 8
18. 14
19. 20
20. 14
21. 4
22. 18
23. 16
24. 10
25. 8
26. 6
27. 12
28. 8
29. 6
30. 20
31. 10
32. 18
33. 4
34. 16
35. 12
36. 14
37. 8
38. 14
39. 6
40. 4
41. 16
42. 10
43. 12
44. 18
45. 20

Page 8

1. 9
2. 6
3. 27
4. 15
5. 24
6. 12
7. 30
8. 18
9. 21
10. 12
11. 30
12. 24
13. 9
14. 18
15. 21
16. 27
17. 15
18. 6
19. 27
20. 12
21. 9
22. 15
23. 30
24. 21
25. 24
26. 18
27. 6
28. 18
29. 12
30. 15
31. 21
32. 9
33. 24
34. 30
35. 27
36. 6
37. 12
38. 18
39. 30
40. 27
41. 6
42. 9
43. 21
44. 15
45. 24

Page 9

1. 6
2. 9
3. 24
4. 27
5. 15
6. 18
7. 21
8. 12
9. 30
10. 27
11. 24
12. 9
13. 21
14. 30
15. 12
16. 15
17. 6
18. 18
19. 21
20. 27
21. 15
22. 18
23. 9
24. 6
25. 24
26. 30
27. 12
28. 30
29. 18
30. 15
31. 9
32. 6
33. 24
34. 27
35. 12
36. 21
37. 27
38. 15
39. 12
40. 21
41. 24
42. 18
43. 6
44. 30
45. 9

Page 10

1. 12
2. 18
3. 15
4. 9
5. 24
6. 21
7. 30
8. 6
9. 27
10. 6
11. 27
12. 24
13. 21
14. 18
15. 15
16. 12
17. 9
18. 30
19. 27
20. 9
21. 24
22. 15
23. 21
24. 18
25. 6
26. 30
27. 12
28. 18
29. 27
30. 30
31. 9
32. 12
33. 24
34. 6
35. 21
36. 15
37. 27
38. 15
39. 6
40. 18
41. 9

42. 24	30. 32	18. 36	6. 28	40. 28	28. 25	16. 20	4. 45
43. 21	31. 12	19. 12	7. 16	41. 16	29. 15	17. 30	5. 40
44. 30	32. 36	20. 28	8. 8	42. 32	30. 45	18. 10	6. 10
45. 12	33. 28	21. 36	9. 12	43. 40	31. 35	19. 40	7. 20
Page 11	34. 24	22. 20	10. 40	44. 24	32. 20	20. 25	8. 30
1. 32	35. 20	23. 8	11. 8	45. 20	33. 40	21. 35	9. 15
2. 24	36. 8	24. 24	12. 20	**Page 14**	34. 50	22. 20	10. 25
3. 16	37. 36	25. 16	13. 16	1. 20	35. 30	23. 10	11. 30
4. 20	38. 8	26. 32	14. 12	2. 15	36. 10	24. 30	12. 40
5. 8	39. 40	27. 40	15. 36	3. 30	37. 30	25. 45	13. 35
6. 40	40. 28	28. 24	16. 24	4. 50	38. 50	26. 15	14. 10
7. 28	41. 16	29. 40	17. 28	5. 45	39. 35	27. 50	15. 20
8. 12	42. 32	30. 16	18. 32	6. 35	40. 15	28. 20	16. 45
9. 36	43. 20	31. 32	19. 8	7. 40	41. 25	29. 40	17. 15
10. 24	44. 24	32. 20	20. 24	8. 10	42. 45	30. 35	18. 50
11. 12	45. 12	33. 12	21. 20	9. 25	43. 40	31. 45	19. 30
12. 16	**Page 12**	34. 36	22. 32	10. 40	44. 10	32. 30	20. 25
13. 32	1. 20	35. 28	23. 12	11. 10	45. 20	33. 10	21. 50
14. 20	2. 40	36. 8	24. 28	12. 35	**Page 15**	34. 15	22. 45
15. 28	3. 16	37. 16	25. 36	13. 20	1. 35	35. 50	23. 20
16. 40	4. 24	38. 40	26. 16	14. 30	2. 50	36. 25	24. 10
17. 36	5. 28	39. 36	27. 40	15. 15	3. 30	37. 20	25. 40
18. 8	6. 8	40. 12	28. 20	16. 45	4. 40	38. 10	26. 35
19. 20	7. 36	41. 32	29. 24	17. 50	5. 20	39. 35	27. 15
20. 32	8. 12	42. 20	30. 36	18. 25	6. 45	40. 25	28. 40
21. 16	9. 32	43. 24	31. 12	19. 45	7. 10	41. 50	29. 30
22. 28	10. 16	44. 8	32. 32	20. 20	8. 25	42. 40	30. 15
23. 40	11. 28	45. 28	33. 40	21. 40	9. 15	43. 15	31. 50
24. 24	12. 40	**Page 13**	34. 28	22. 50	10. 45	44. 45	32. 45
25. 12	13. 32	1. 36	35. 8	23. 25	11. 40	45. 30	33. 35
26. 8	14. 8	2. 32	36. 16	24. 15	12. 25	**Page 16**	34. 25
27. 36	15. 12	3. 20	37. 36	25. 10	13. 15	1. 25	35. 20
28. 40	16. 24	4. 24	38. 12	26. 35	14. 35	2. 35	36. 10
29. 16	17. 20	5. 40	39. 8	27. 30	15. 50	3. 50	37. 50

Answer Key

							Page 22
38. 30	26. 9	14. 10	2. 21	36. 30	24. 16	12. 12	1. 48
39. 45	27. 40	15. 8	3. 50	37. 32	25. 36	13. 50	2. 42
40. 40	28. 10	16. 30	4. 8	38. 9	26. 30	14. 21	3. 12
41. 15	29. 10	17. 36	5. 40	39. 20	27. 20	15. 20	4. 54
42. 10	30. 20	18. 30	6. 6	40. 20	28. 18	16. 18	5. 30
43. 35	31. 18	19. 20	7. 24	41. 12	29. 14	17. 12	6. 36
44. 25	32. 16	20. 12	8. 10	42. 6	30. 27	18. 40	7. 24
45. 20	33. 9	21. 10	9. 9	43. 35	31. 50	19. 20	8. 60
Page 17	34. 32	22. 40	10. 20	44. 36	32. 32	20. 6	9. 18
1. 6	35. 14	23. 36	11. 8	45. 10	33. 15	21. 16	10. 60
2. 40	36. 45	24. 21	12. 16	Page 20	34. 4	22. 21	11. 42
3. 20	37. 6	25. 6	13. 28	1. 8	35. 12	23. 45	12. 12
4. 12	38. 27	26. 10	14. 18	2. 30	36. 20	24. 4	13. 54
5. 50	39. 28	27. 24	15. 20	3. 20	37. 6	25. 40	14. 36
6. 16	40. 20	28. 15	16. 25	4. 21	38. 45	26. 18	15. 18
7. 6	41. 24	29. 16	17. 9	5. 16	39. 6	27. 20	16. 24
8. 21	42. 4	30. 18	18. 36	6. 12	40. 16	28. 20	17. 48
9. 18	43. 50	31. 15	19. 20	7. 50	41. 24	29. 6	18. 30
10. 18	44. 20	32. 40	20. 35	8. 27	42. 12	30. 12	19. 36
11. 8	45. 12	33. 20	21. 12	9. 4	43. 35	31. 40	20. 48
12. 50	Page 18	34. 8	22. 24	10. 35	44. 20	32. 30	21. 24
13. 36	1. 20	35. 18	23. 40	11. 8	45. 30	33. 21	22. 60
14. 24	2. 9	36. 21	24. 18	12. 18	Page 21	34. 36	23. 42
15. 10	3. 45	37. 25	25. 15	13. 16	1. 16	35. 16	24. 18
16. 35	4. 20	38. 12	26. 8	14. 15	2. 36	36. 10	25. 54
17. 12	5. 24	39. 12	27. 10	15. 27	3. 10	37. 10	26. 30
18. 20	6. 20	40. 30	28. 9	16. 10	4. 30	38. 18	27. 12
19. 12	7. 8	41. 8	29. 24	17. 30	5. 16	39. 40	28. 54
20. 6	8. 12	42. 35	30. 24	18. 40	6. 35	40. 15	29. 24
21. 45	9. 28	43. 16	31. 14	19. 6	7. 10	41. 6	30. 48
22. 14	10. 15	44. 12	32. 10	20. 16	8. 18	42. 40	31. 30
23. 24	11. 40	45. 18	33. 18	21. 6	9. 12	43. 36	32. 36
24. 20	12. 6	Page 19	34. 20	22. 25	10. 10	44. 8	33. 12
25. 20	13. 28	1. 36	35. 20	23. 28	11. 9	45. 28	

Answer Key

34. 60	22. 54	10. 48	44. 54	32. 63	20. 42	8. 56	42. 56
35. 18	23. 42	11. 12	45. 42	33. 49	21. 63	9. 14	43. 70
36. 42	24. 30	12. 60	**Page 25**	34. 21	22. 49	10. 56	44. 63
37. 18	25. 12	13. 30	1. 35	35. 70	23. 35	11. 63	45. 42
38. 54	26. 48	14. 54	2. 56	36. 28	24. 14	12. 21	**Page 28**
39. 48	27. 60	15. 36	3. 63	37. 42	25. 56	13. 49	1. 56
40. 12	28. 48	16. 18	4. 49	38. 35	26. 21	14. 14	2. 80
41. 42	29. 18	17. 42	5. 42	39. 63	27. 28	15. 42	3. 72
42. 60	30. 54	18. 24	6. 28	40. 14	28. 21	16. 70	4. 32
43. 36	31. 36	19. 42	7. 14	41. 28	29. 42	17. 28	5. 64
44. 30	32. 42	20. 60	8. 70	42. 49	30. 56	18. 35	6. 24
45. 24	33. 60	21. 18	9. 21	43. 56	31. 70	19. 63	7. 48
Page 23	34. 24	22. 54	10. 28	44. 21	32. 63	20. 28	8. 40
1. 48	35. 30	23. 12	11. 56	45. 70	33. 49	21. 14	9. 16
2. 24	36. 12	24. 30	12. 70	**Page 26**	34. 28	22. 42	10. 40
3. 42	37. 24	25. 24	13. 35	1. 56	35. 14	23. 35	11. 72
4. 18	38. 42	26. 48	14. 42	2. 35	36. 35	24. 56	12. 64
5. 36	39. 60	27. 36	15. 21	3. 21	37. 21	25. 70	13. 56
6. 60	40. 48	28. 30	16. 63	4. 63	38. 14	26. 49	14. 48
7. 12	41. 36	29. 60	17. 49	5. 49	39. 28	27. 21	15. 80
8. 30	42. 18	30. 18	18. 14	6. 28	40. 63	28. 56	16. 16
9. 54	43. 30	31. 54	19. 28	7. 42	41. 70	29. 49	17. 24
10. 24	44. 12	32. 12	20. 35	8. 14	42. 35	30. 42	18. 32
11. 42	45. 54	33. 42	21. 14	9. 70	43. 42	31. 63	19. 72
12. 30	**Page 24**	34. 48	22. 63	10. 14	44. 49	32. 14	20. 64
13. 54	1. 30	35. 36	23. 56	11. 42	45. 56	33. 28	21. 48
14. 60	2. 24	36. 24	24. 49	12. 28	**Page 27**	34. 21	22. 32
15. 12	3. 54	37. 12	25. 21	13. 56	1. 63	35. 70	23. 56
16. 18	4. 48	38. 60	26. 42	14. 21	2. 49	36. 35	24. 40
17. 48	5. 12	39. 24	27. 70	15. 35	3. 42	37. 49	25. 24
18. 36	6. 36	40. 48	28. 35	16. 49	4. 35	38. 21	26. 80
19. 24	7. 60	41. 18	29. 42	17. 70	5. 28	39. 28	27. 16
20. 18	8. 42	42. 30	30. 56	18. 63	6. 21	40. 14	28. 72
21. 36	9. 18	43. 36	31. 14	19. 70	7. 70	41. 35	29. 32

Answer Key

30. 64	18. 80	6. 32	40. 24	28. 90	16. 18	4. 36	38. 81
31. 40	19. 24	7. 80	41. 80	29. 36	17. 81	5. 27	39. 45
32. 16	20. 56	8. 56	42. 16	30. 45	18. 36	6. 45	40. 54
33. 24	21. 80	9. 40	43. 64	31. 81	19. 90	7. 90	41. 36
34. 48	22. 64	10. 80	44. 56	32. 63	20. 18	8. 18	42. 90
35. 56	23. 40	11. 16	45. 40	33. 18	21. 45	9. 63	43. 63
36. 80	24. 72	12. 72	**Page 31**	34. 27	22. 36	10. 90	44. 72
37. 40	25. 32	13. 56	1. 54	35. 72	23. 72	11. 63	45. 18
38. 56	26. 48	14. 32	2. 90	36. 54	24. 63	12. 27	**Page 34**
39. 48	27. 16	15. 40	3. 36	37. 90	25. 54	13. 18	1. 40
40. 64	28. 56	16. 64	4. 45	38. 54	26. 81	14. 54	2. 60
41. 24	29. 72	17. 48	5. 81	39. 81	27. 27	15. 72	3. 100
42. 32	30. 40	18. 24	6. 72	40. 18	28. 81	16. 81	4. 30
43. 16	31. 64	19. 16	7. 63	41. 72	29. 90	17. 45	5. 20
44. 80	32. 24	20. 40	8. 27	42. 36	30. 36	18. 36	6. 80
45. 72	33. 16	21. 72	9. 18	43. 63	31. 45	19. 18	7. 90
Page 29	34. 80	22. 24	10. 45	44. 27	32. 18	20. 45	8. 70
1. 56	35. 48	23. 80	11. 81	45. 45	33. 72	21. 81	9. 50
2. 72	36. 32	24. 48	12. 36	**Page 32**	34. 54	22. 63	10. 100
3. 64	37. 56	25. 64	13. 63	1. 81	35. 27	23. 36	11. 70
4. 48	38. 72	26. 56	14. 54	2. 90	36. 63	24. 72	12. 60
5. 32	39. 24	27. 32	15. 72	3. 36	37. 18	25. 90	13. 90
6. 24	40. 16	28. 80	16. 90	4. 63	38. 63	26. 27	14. 50
7. 80	41. 40	29. 40	17. 18	5. 54	39. 72	27. 54	15. 40
8. 40	42. 48	30. 64	18. 27	6. 45	40. 36	28. 90	16. 20
9. 16	43. 80	31. 56	19. 72	7. 27	41. 81	29. 54	17. 80
10. 24	44. 64	32. 16	20. 81	8. 72	42. 27	30. 18	18. 30
11. 16	45. 32	33. 32	21. 36	9. 18	43. 90	31. 72	19. 90
12. 72	**Page 30**	34. 72	22. 45	10. 54	44. 54	32. 81	20. 100
13. 40	1. 24	35. 48	23. 18	11. 90	45. 45	33. 27	21. 40
14. 48	2. 16	36. 24	24. 54	12. 27	**Page 33**	34. 63	22. 30
15. 64	3. 72	37. 72	25. 90	13. 72	1. 54	35. 36	23. 70
16. 32	4. 64	38. 32	26. 27	14. 45	2. 72	36. 45	24. 20
17. 56	5. 48	39. 48	27. 63	15. 63	3. 81	37. 27	25. 50

						Page 39	34. 42
26. 80	14. 30	2. 50	36. 20	24. 100	12. 72	1. 48	35. 20
27. 60	15. 40	3. 70	37. 90	25. 12	13. 30	2. 18	36. 21
28. 80	16. 90	4. 30	38. 70	26. 80	14. 36	3. 21	37. 80
29. 30	17. 20	5. 80	39. 80	27. 36	15. 80	4. 50	38. 27
30. 40	18. 100	6. 60	40. 30	28. 24	16. 30	5. 54	39. 48
31. 70	19. 60	7. 100	41. 40	29. 45	17. 20	6. 64	40. 40
32. 90	20. 80	8. 20	42. 100	30. 14	18. 49	7. 90	41. 56
33. 60	21. 90	9. 40	43. 20	31. 56	19. 36	8. 28	42. 50
34. 20	22. 20	10. 100	44. 60	32. 54	20. 64	9. 42	43. 14
35. 100	23. 30	11. 90	45. 50	33. 80	21. 14	10. 30	44. 54
36. 50	24. 50	12. 20	**Page 37**	34. 28	22. 60	11. 48	45. 54
37. 30	25. 100	13. 50	1. 90	35. 60	23. 24	12. 18	**Page 40**
38. 100	26. 70	14. 60	2. 64	36. 90	24. 60	13. 90	1. 81
39. 20	27. 40	15. 40	3. 12	37. 64	25. 63	14. 60	2. 70
40. 70	28. 50	16. 70	4. 70	38. 81	26. 54	15. 49	3. 16
41. 60	29. 90	17. 30	5. 28	39. 12	27. 50	16. 50	4. 24
42. 90	30. 20	18. 80	6. 30	40. 49	28. 28	17. 24	5. 21
43. 40	31. 60	19. 50	7. 90	41. 54	29. 27	18. 72	6. 48
44. 80	32. 100	20. 70	8. 21	42. 30	30. 64	19. 80	7. 48
45. 50	33. 40	21. 60	9. 54	43. 21	31. 45	20. 14	8. 90
Page 35	34. 70	22. 90	10. 56	44. 100	32. 60	21. 32	9. 35
1. 30	35. 80	23. 80	11. 30	45. 32	33. 16	22. 21	10. 20
2. 70	36. 30	24. 30	12. 16	**Page 38**	34. 49	23. 48	11. 35
3. 80	37. 50	25. 20	13. 60	1. 56	35. 60	24. 70	12. 36
4. 100	38. 60	26. 40	14. 28	2. 20	36. 63	25. 45	13. 80
5. 60	39. 20	27. 100	15. 72	3. 56	37. 80	26. 36	14. 27
6. 50	40. 100	28. 60	16. 21	4. 81	38. 54	27. 72	15. 32
7. 40	41. 80	29. 30	17. 72	5. 60	39. 27	28. 28	16. 70
8. 90	42. 30	30. 80	18. 90	6. 21	40. 56	29. 50	17. 72
9. 20	43. 90	31. 90	19. 54	7. 24	41. 40	30. 81	18. 70
10. 70	44. 40	32. 70	20. 70	8. 45	42. 35	31. 48	19. 12
11. 80	45. 70	33. 100	21. 35	9. 48	43. 90	32. 56	20. 90
12. 60	**Page 36**	34. 40	22. 24	10. 40	44. 36	33. 90	21. 72
13. 50	1. 90	35. 50	23. 36	11. 63	45. 16		

Answer Key

22. 35	10. 63	44. 48	32. 77	20. 110	8. 77	42. 44	30. 36
23. 54	11. 40	45. 72	33. 110	21. 44	9. 66	43. 33	31. 84
24. 48	12. 21	**Page 42**	34. 88	22. 99	10. 110	44. 77	32. 48
25. 30	13. 54	1. 44	35. 66	23. 66	11. 33	45. 110	33. 120
26. 32	14. 42	2. 55	36. 99	24. 55	12. 99	**Page 45**	34. 96
27. 70	15. 80	3. 33	37. 55	25. 77	13. 22	1. 60	35. 60
28. 48	16. 12	4. 66	38. 22	26. 22	14. 88	2. 96	36. 108
29. 81	17. 45	5. 77	39. 110	27. 33	15. 77	3. 24	37. 60
30. 42	18. 80	6. 99	40. 44	28. 44	16. 44	4. 84	38. 108
31. 70	19. 80	7. 22	41. 88	29. 77	17. 66	5. 72	39. 36
32. 60	20. 35	8. 110	42. 66	30. 33	18. 55	6. 36	40. 120
33. 36	21. 48	9. 88	43. 99	31. 88	19. 44	7. 120	41. 24
34. 35	22. 81	10. 66	44. 77	32. 22	20. 99	8. 108	42. 72
35. 24	23. 28	11. 99	45. 33	33. 66	21. 55	9. 48	43. 48
36. 12	24. 42	12. 77	**Page 43**	34. 110	22. 77	10. 96	44. 84
37. 40	25. 30	13. 22	1. 66	35. 55	23. 33	11. 120	45. 96
38. 70	26. 12	14. 33	2. 55	36. 99	24. 88	12. 48	**Page 46**
39. 48	27. 64	15. 44	3. 44	37. 66	25. 22	13. 84	1. 120
40. 27	28. 20	16. 88	4. 110	38. 99	26. 110	14. 24	2. 48
41. 80	29. 90	17. 55	5. 99	39. 44	27. 66	15. 108	3. 72
42. 16	30. 56	18. 110	6. 22	40. 33	28. 88	16. 60	4. 36
43. 63	31. 27	19. 66	7. 77	41. 55	29. 44	17. 36	5. 24
44. 35	32. 32	20. 99	8. 88	42. 110	30. 66	18. 72	6. 96
45. 54	33. 36	21. 88	9. 33	43. 88	31. 99	19. 60	7. 60
Page 41	34. 50	22. 55	10. 77	44. 22	32. 55	20. 72	8. 108
1. 14	35. 49	23. 110	11. 110	45. 77	33. 110	21. 24	9. 84
2. 24	36. 81	24. 77	12. 66	**Page 44**	34. 22	22. 84	10. 72
3. 50	37. 14	25. 22	13. 44	1. 55	35. 77	23. 48	11. 96
4. 64	38. 50	26. 44	14. 88	2. 88	36. 33	24. 36	12. 60
5. 63	39. 24	27. 33	15. 22	3. 44	37. 55	25. 96	13. 84
6. 72	40. 72	28. 44	16. 99	4. 99	38. 88	26. 108	14. 48
7. 90	41. 18	29. 33	17. 55	5. 22	39. 66	27. 120	15. 36
8. 60	42. 70	30. 22	18. 33	6. 33	40. 22	28. 72	16. 108
9. 18	43. 70	31. 55	19. 88	7. 110	41. 99	29. 24	17. 120

18. 24
19. 84
20. 60
21. 120
22. 48
23. 108
24. 96
25. 36
26. 24
27. 72
28. 120
29. 84
30. 48
31. 24
32. 36
33. 72
34. 60
35. 96
36. 108
37. 120
38. 36
39. 24
40. 96
41. 48
42. 84
43. 108
44. 72
45. 60

Page 47
1. 48
2. 72
3. 36
4. 120
5. 60

6. 84
7. 96
8. 24
9. 108
10. 36
11. 48
12. 84
13. 108
14. 24
15. 96
16. 60
17. 72
18. 120
19. 24
20. 48
21. 84
22. 72
23. 60
24. 96
25. 36
26. 108
27. 120
28. 84
29. 72
30. 24
31. 120
32. 108
33. 36
34. 96
35. 60
36. 48
37. 84
38. 36
39. 108

40. 48
41. 24
42. 120
43. 72
44. 60
45. 96

Page 48
1. 9
2. 63
3. 20
4. 48
5. 72
6. 10
7. 100
8. 63
9. 32
10. 55
11. 20
12. 18
13. 42
14. 14
15. 24
16. 108
17. 32
18. 15
19. 24
20. 40
21. 100
22. 22
23. 18
24. 28
25. 66
26. 70
27. 12

28. 72
29. 9
30. 80
31. 35
32. 24
33. 18
34. 108
35. 24
36. 35
37. 6
38. 48
39. 70
40. 32
41. 25
42. 99
43. 24
44. 90
45. 22

Page 49
1. 20
2. 45
3. 63
4. 72
5. 4
6. 44
7. 21
8. 80
9. 80
10. 9
11. 42
12. 60
13. 32
14. 24
15. 16

16. 99
17. 60
18. 70
19. 40
20. 15
21. 8
22. 54
23. 24
24. 35
25. 40
26. 99
27. 20
28. 27
29. 4
30. 36
31. 70
32. 84
33. 24
34. 32
35. 50
36. 45
37. 42
38. 12
39. 30
40. 81
41. 12
42. 120
43. 88
44. 14
45. 18

Page 50
1. 54
2. 40
3. 6

4. 64
5. 50
6. 24
7. 21
8. 36
9. 30
10. 55
11. 14
12. 36
13. 32
14. 63
15. 66
16. 35
17. 80
18. 30
19. 14
20. 32
21. 18
22. 18
23. 30
24. 36
25. 48
26. 60
27. 8
28. 60
29. 36
30. 88
31. 30
32. 35
33. 35
34. 18
35. 66
36. 6
37. 70

38. 24
39. 25
40. 8
41. 72
42. 60
43. 48
44. 63
45. 24

Page 51
1. 56
2. 14
3. 12
4. 20
5. 45
6. 90
7. 18
8. 40
9. 48
10. 66
11. 60
12. 36
13. 18
14. 77
15. 30
16. 24
17. 20
18. 24
19. 21
20. 54
21. 40
22. 20
23. 24
24. 49
25. 48

26. 20
27. 48
28. 50
29. 33
30. 90
31. 6
32. 32
33. 63
34. 20
35. 15
36. 12
37. 33
38. 16
39. 60
40. 90
41. 16
42. 42
43. 60
44. 72
45. 49

Page 52
1. 14
2. 27
3. 32
4. 70
5. 55
6. 8
7. 18
8. 90
9. 96
10. 30
11. 15
12. 32
13. 18

Answer Key

14. 36
15. 49
16. 110
17. 40
18. 18
19. 9
20. 48
21. 84
22. 40
23. 8
24. 30
25. 70
26. 90
27. 12
28. 20
29. 18
30. 25
31. 36
32. 48
33. 88
34. 56
35. 81
36. 44
37. 42
38. 48
39. 54
40. 6
41. 8
42. 80
43. 35
44. 15
45. 60

Page 53

1. 52

2. 78
3. 104
4. 91
5. 117
6. 130
7. 39
8. 26
9. 65
10. 91
11. 26
12. 78
13. 39
14. 104
15. 117
16. 65
17. 130
18. 52
19. 26
20. 130
21. 104
22. 91
23. 52
24. 117
25. 39
26. 65
27. 78
28. 26
29. 52
30. 78
31. 65
32. 39
33. 104
34. 91
35. 117

36. 130
37. 39
38. 104
39. 117
40. 78
41. 130
42. 52
43. 91
44. 26
45. 65

Page 54

1. 26
2. 65
3. 130
4. 78
5. 104
6. 91
7. 52
8. 117
9. 39
10. 104
11. 78
12. 52
13. 39
14. 91
15. 26
16. 65
17. 130
18. 117
19. 39
20. 65
21. 117
22. 91
23. 130

24. 26
25. 78
26. 52
27. 104
28. 26
29. 78
30. 104
31. 130
32. 91
33. 65
34. 39
35. 117
36. 52
37. 104
38. 78
39. 39
40. 117
41. 26
42. 65
43. 52
44. 130
45. 91

Page 55

1. 104
2. 117
3. 65
4. 78
5. 52
6. 130
7. 39
8. 26
9. 91
10. 130
11. 104

12. 117
13. 26
14. 39
15. 78
16. 91
17. 65
18. 52
19. 104
20. 117
21. 130
22. 26
23. 65
24. 52
25. 39
26. 78
27. 91
28. 78
29. 130
30. 52
31. 117
32. 26
33. 91
34. 39
35. 104
36. 65
37. 26
38. 91
39. 104
40. 78
41. 65
42. 39
43. 52
44. 117
45. 130

Page 56

1. 28
2. 126
3. 70
4. 98
5. 56
6. 112
7. 140
8. 84
9. 42
10. 140
11. 70
12. 84
13. 42
14. 126
15. 98
16. 56
17. 112
18. 28
19. 98
20. 70
21. 56
22. 126
23. 42
24. 28
25. 84
26. 140
27. 112
28. 42
29. 98
30. 70
31. 28
32. 140
33. 84

34. 56
35. 126
36. 112
37. 28
38. 98
39. 112
40. 84
41. 140
42. 56
43. 126
44. 70
45. 42

Page 57

1. 112
2. 70
3. 42
4. 56
5. 126
6. 140
7. 84
8. 28
9. 98
10. 112
11. 70
12. 126
13. 56
14. 140
15. 28
16. 84
17. 98
18. 42
19. 56
20. 70
21. 42

22. 140
23. 126
24. 98
25. 28
26. 112
27. 84
28. 28
29. 126
30. 70
31. 98
32. 140
33. 84
34. 42
35. 56
36. 112
37. 28
38. 70
39. 84
40. 56
41. 98
42. 112
43. 126
44. 42
45. 140

Page 58

1. 112
2. 56
3. 42
4. 84
5. 140
6. 98
7. 126
8. 28
9. 70
10. 56
11. 70
12. 28
13. 42
14. 98
15. 126
16. 112
17. 140
18. 84
19. 112
20. 70
21. 140
22. 98
23. 126
24. 42
25. 84
26. 28
27. 56
28. 126
29. 28
30. 70
31. 42
32. 98
33. 56
34. 112
35. 84
36. 140
37. 126
38. 28
39. 42
40. 140
41. 70
42. 84
43. 112
44. 98
45. 56

Page 59

1. 150
2. 45
3. 60
4. 30
5. 120
6. 75
7. 135
8. 105
9. 90
10. 45
11. 60
12. 135
13. 30
14. 90
15. 75
16. 120
17. 150
18. 105
19. 135
20. 105
21. 150
22. 120
23. 90
24. 60
25. 30
26. 45
27. 75
28. 90
29. 30
30. 45
31. 60
32. 105
33. 75
34. 120
35. 135
36. 150
37. 60
38. 30
39. 90
40. 75
41. 105
42. 150
43. 45
44. 135
45. 120

Page 60

1. 150
2. 30
3. 60
4. 135
5. 75
6. 90
7. 105
8. 120
9. 45
10. 30
11. 135
12. 120
13. 75
14. 60
15. 45
16. 90
17. 150
18. 105
19. 135
20. 150
21. 60
22. 90
23. 30
24. 105
25. 75
26. 45
27. 120
28. 105
29. 120
30. 30
31. 90
32. 150
33. 45
34. 135
35. 75
36. 60
37. 150
38. 105
39. 90
40. 135
41. 30
42. 60
43. 75
44. 45
45. 120

Page 61

1. 90
2. 105
3. 60
4. 75
5. 30
6. 120
7. 135
8. 45
9. 150
10. 105
11. 150
12. 30
13. 60
14. 45
15. 135
16. 90
17. 75
18. 120
19. 60
20. 75
21. 45
22. 150
23. 120
24. 105
25. 135
26. 30
27. 90
28. 45
29. 120
30. 60
31. 150
32. 105
33. 30
34. 75
35. 135
36. 90
37. 105
38. 90
39. 75
40. 150
41. 45

Page 62

1. 96
2. 45
3. 66
4. 140
5. 91
6. 48
7. 22
8. 117
9. 75
10. 126
11. 120
12. 70
13. 72
14. 52
15. 77
16. 24
17. 33
18. 130
19. 60
20. 42
21. 88
22. 108
23. 75
24. 140
25. 91
26. 30
27. 72
28. 110
29. 126

Answer Key

30. 78	18. 55	6. 42	40. 88	28. 84	16. 65	4. 32
31. 56	19. 36	7. 84	41. 84	29. 117	17. 66	5. 80
32. 36	20. 150	8. 117	42. 44	30. 90	18. 112	6. 96
33. 120	21. 55	9. 150	43. 45	31. 60	19. 120	7. 48
34. 22	22. 78	10. 55	44. 26	32. 112	20. 60	8. 144
35. 65	23. 30	11. 91	45. 140	33. 39	21. 24	9. 64
36. 77	24. 96	12. 30	**Page 65**	34. 44	22. 104	10. 96
37. 26	25. 98	13. 96	1. 42	35. 150	23. 126	11. 112
38. 75	26. 44	14. 66	2. 88	36. 28	24. 77	12. 80
39. 120	27. 108	15. 140	3. 72	37. 120	25. 45	13. 160
40. 42	28. 91	16. 33	4. 135	38. 72	26. 65	14. 64
41. 52	29. 42	17. 48	5. 91	39. 52	27. 72	15. 32
42. 84	30. 90	18. 117	6. 56	40. 77	28. 140	16. 128
43. 77	31. 48	19. 75	7. 75	41. 75	29. 77	17. 48
44. 96	32. 30	20. 98	8. 22	42. 39	30. 120	18. 144
45. 135	33. 117	21. 99	9. 130	43. 110	31. 55	19. 128
Page 63	34. 140	22. 140	10. 84	44. 24	32. 72	20. 48
1. 105	35. 55	23. 72	11. 39	45. 126	33. 28	21. 32
2. 88	36. 112	24. 120	12. 84	**Page 66**	34. 52	22. 96
3. 84	37. 33	25. 39	13. 108	1. 126	35. 45	23. 160
4. 130	38. 108	26. 60	14. 88	2. 48	36. 108	24. 64
5. 60	39. 90	27. 22	15. 60	3. 66	37. 120	25. 112
6. 99	40. 26	28. 130	16. 120	4. 104	38. 126	26. 80
7. 48	41. 44	29. 48	17. 26	5. 105	39. 26	27. 144
8. 30	42. 75	30. 98	18. 75	6. 24	40. 110	28. 160
9. 39	43. 91	31. 108	19. 33	7. 140	41. 56	29. 32
10. 28	44. 112	32. 84	20. 98	8. 55	42. 65	30. 80
11. 39	45. 120	33. 65	21. 135	9. 39	43. 36	31. 112
12. 98	**Page 64**	34. 120	22. 44	10. 135	44. 77	32. 48
13. 108	1. 56	35. 22	23. 130	11. 110	45. 90	33. 128
14. 110	2. 96	36. 42	24. 70	12. 105	**Page 67**	34. 96
15. 120	3. 75	37. 90	25. 72	13. 28	1. 160	35. 144
16. 84	4. 78	38. 108	26. 28	14. 52	2. 112	36. 64
17. 52	5. 22	39. 65	27. 88	15. 36	3. 128	37. 160

38. 64	26. 96	14. 32	2. 51	36. 68	24. 68	12. 85
39. 96	27. 64	15. 112	3. 170	37. 51	25. 102	13. 51
40. 144	28. 160	16. 144	4. 85	38. 34	26. 34	14. 170
41. 32	29. 96	17. 160	5. 136	39. 136	27. 85	15. 153
42. 80	30. 144	18. 48	6. 119	40. 85	28. 51	16. 102
43. 128	31. 112	19. 80	7. 68	41. 102	29. 119	17. 68
44. 112	32. 32	20. 128	8. 34	42. 170	30. 136	18. 119
45. 48	33. 128	21. 64	9. 153	43. 153	31. 34	19. 51
Page 68	34. 80	22. 96	10. 170	44. 119	32. 102	20. 102
1. 96	35. 48	23. 48	11. 153	45. 68	33. 153	21. 68
2. 64	36. 64	24. 32	12. 68	**Page 71**	34. 68	22. 85
3. 80	37. 32	25. 160	13. 136	1. 170	35. 85	23. 153
4. 48	38. 64	26. 144	14. 85	2. 34	36. 170	24. 136
5. 160	39. 128	27. 112	15. 119	3. 119	37. 153	25. 170
6. 144	40. 144	28. 80	16. 51	4. 51	38. 102	26. 34
7. 128	41. 112	29. 160	17. 34	5. 85	39. 68	27. 119
8. 32	42. 48	30. 32	18. 102	6. 153	40. 85	28. 153
9. 112	43. 160	31. 64	19. 85	7. 136	41. 51	29. 136
10. 160	44. 80	32. 144	20. 136	8. 102	42. 170	30. 102
11. 96	45. 96	33. 112	21. 119	9. 68	43. 119	31. 68
12. 32	**Page 69**	34. 48	22. 34	10. 85	44. 136	32. 85
13. 48	1. 96	35. 96	23. 170	11. 34	45. 34	33. 51
14. 128	2. 160	36. 128	24. 153	12. 170	**Page 72**	34. 119
15. 80	3. 128	37. 64	25. 68	13. 102	1. 85	35. 170
16. 112	4. 80	38. 96	26. 102	14. 119	2. 153	36. 34
17. 64	5. 64	39. 128	27. 51	15. 153	3. 136	37. 153
18. 144	6. 144	40. 112	28. 119	16. 136	4. 102	38. 170
19. 112	7. 112	41. 80	29. 170	17. 68	5. 34	39. 102
20. 80	8. 48	42. 144	30. 85	18. 51	6. 68	40. 119
21. 160	9. 32	43. 48	31. 136	19. 170	7. 170	41. 85
22. 144	10. 128	44. 32	32. 34	20. 153	8. 119	42. 136
23. 128	11. 96	45. 160	33. 102	21. 51	9. 51	43. 51
24. 32	12. 80	**Page 70**	34. 51	22. 136	10. 34	44. 34
25. 48	13. 64	1. 102	35. 153	23. 119	11. 136	45. 68

Answer Key

Page 73

1. 90
2. 36
3. 72
4. 108
5. 54
6. 180
7. 162
8. 144
9. 126
10. 90
11. 162
12. 54
13. 126
14. 180
15. 144
16. 72
17. 108
18. 36
19. 54
20. 180
21. 144
22. 108
23. 162
24. 90
25. 36
26. 126
27. 72
28. 90
29. 144
30. 126
31. 180
32. 108
33. 54
34. 36
35. 162
36. 72
37. 90
38. 162
39. 180
40. 72
41. 126
42. 144
43. 54
44. 36
45. 108

Page 74

1. 90
2. 144
3. 36
4. 108
5. 180
6. 72
7. 126
8. 162
9. 54
10. 108
11. 180
12. 126
13. 36
14. 72
15. 54
16. 162
17. 90
18. 144
19. 162
20. 72
21. 54
22. 144
23. 180
24. 90
25. 108
26. 126
27. 36
28. 54
29. 90
30. 36
31. 162
32. 126
33. 180
34. 144
35. 72
36. 108
37. 72
38. 108
39. 180
40. 144
41. 162
42. 36
43. 126
44. 54
45. 90

Page 75

1. 126
2. 108
3. 144
4. 36
5. 162
6. 54
7. 180
8. 90
9. 72
10. 144
11. 54
12. 180
13. 90
14. 126
15. 72
16. 36
17. 162
18. 108
19. 180
20. 72
21. 54
22. 144
23. 108
24. 126
25. 90
26. 36
27. 162
28. 108
29. 180
30. 72
31. 54
32. 162
33. 126
34. 90
35. 144
36. 36
37. 108
38. 126
39. 90
40. 72
41. 162
42. 36
43. 180
44. 144
45. 54

Page 76

1. 57
2. 114
3. 152
4. 38
5. 171
6. 133
7. 95
8. 76
9. 190
10. 133
11. 114
12. 95
13. 152
14. 171
15. 190
16. 38
17. 76
18. 57
19. 133
20. 95
21. 57
22. 76
23. 152
24. 190
25. 38
26. 171
27. 114
28. 152
29. 190
30. 38
31. 95
32. 171
33. 76
34. 133
35. 114
36. 57
37. 133
38. 114
39. 171
40. 76
41. 57
42. 190
43. 152
44. 95
45. 38

Page 77

1. 152
2. 38
3. 190
4. 57
5. 171
6. 133
7. 114
8. 76
9. 95
10. 171
11. 190
12. 76
13. 38
14. 152
15. 57
16. 114
17. 133
18. 95
19. 152
20. 114
21. 57
22. 190
23. 76
24. 95
25. 171
26. 38
27. 133
28. 190
29. 38
30. 57
31. 95
32. 133
33. 76
34. 171
35. 114
36. 152
37. 57
38. 152
39. 114
40. 171
41. 133
42. 95
43. 38
44. 190
45. 76

Page 78

1. 133
2. 76
3. 152
4. 57
5. 95
6. 114
7. 190

8. 171	42. 57	30. 200	18. 40	6. 120	40. 40	28. 144
9. 38	43. 133	31. 180	19. 100	7. 160	41. 120	29. 160
10. 171	44. 152	32. 80	20. 140	8. 80	42. 80	30. 102
11. 114	45. 38	33. 100	21. 40	9. 100	43. 160	31. 48
12. 95	**Page 79**	34. 140	22. 160	10. 60	44. 140	32. 95
13. 76	1. 160	35. 120	23. 120	11. 160	45. 60	33. 34
14. 133	2. 200	36. 40	24. 60	12. 120	**Page 82**	34. 200
15. 38	3. 80	37. 140	25. 200	13. 140	1. 200	35. 72
16. 152	4. 40	38. 40	26. 180	14. 80	2. 144	36. 119
17. 57	5. 140	39. 200	27. 80	15. 200	3. 171	37. 171
18. 190	6. 180	40. 100	28. 40	16. 40	4. 96	38. 140
19. 95	7. 100	41. 160	29. 100	17. 180	5. 119	39. 90
20. 133	8. 60	42. 60	30. 60	18. 100	6. 32	40. 64
21. 152	9. 120	43. 180	31. 200	19. 160	7. 90	41. 108
22. 38	10. 180	44. 80	32. 80	20. 200	8. 51	42. 170
23. 190	11. 60	45. 120	33. 140	21. 40	9. 80	43. 57
24. 76	12. 160	**Page 80**	34. 180	22. 80	10. 57	44. 40
25. 57	13. 120	1. 160	35. 120	23. 60	11. 128	45. 128
26. 171	14. 200	2. 200	36. 160	24. 180	12. 76	**Page 83**
27. 114	15. 140	3. 40	37. 100	25. 100	13. 100	1. 108
28. 57	16. 40	4. 60	38. 200	26. 140	14. 180	2. 112
29. 38	17. 100	5. 80	39. 180	27. 120	15. 119	3. 68
30. 95	18. 80	6. 180	40. 160	28. 60	16. 32	4. 40
31. 114	19. 180	7. 120	41. 80	29. 100	17. 180	5. 57
32. 152	20. 80	8. 100	42. 40	30. 200	18. 102	6. 162
33. 133	21. 100	9. 140	43. 60	31. 120	19. 126	7. 80
34. 171	22. 160	10. 120	44. 120	32. 40	20. 38	8. 200
35. 190	23. 40	11. 180	45. 140	33. 180	21. 144	9. 136
36. 76	24. 60	12. 60	**Page 81**	34. 80	22. 54	10. 114
37. 114	25. 200	13. 160	1. 140	35. 160	23. 160	11. 162
38. 171	26. 140	14. 100	2. 40	36. 140	24. 170	12. 140
39. 95	27. 120	15. 200	3. 200	37. 100	25. 76	13. 80
40. 190	28. 160	16. 140	4. 180	38. 180	26. 90	14. 34
41. 76	29. 60	17. 80	5. 60	39. 200	27. 114	15. 57

Answer Key

16. 160
17. 72
18. 160
19. 34
20. 95
21. 136
22. 180
23. 54
24. 190
25. 64
26. 102
27. 133
28. 200
29. 64
30. 162
31. 133
32. 90
33. 120
34. 51
35. 32
36. 136
37. 100
38. 160
39. 36
40. 152
41. 51
42. 171
43. 64
44. 120
45. 126

Page 84
1. 76
2. 200
3. 80

4. 119
5. 144
6. 120
7. 48
8. 162
9. 34
10. 57
11. 180
12. 180
13. 102
14. 112
15. 76
16. 32
17. 160
18. 95
19. 34
20. 108
21. 57
22. 85
23. 162
24. 128
25. 80
26. 133
27. 180
28. 160
29. 144
30. 51
31. 114
32. 112
33. 34
34. 72
35. 100
36. 170
37. 57

38. 80
39. 160
40. 126
41. 32
42. 102
43. 90
44. 160
45. 171

Page 85
1. 96
2. 180
3. 68
4. 54
5. 95
6. 126
7. 32
8. 200
9. 152
10. 68
11. 60
12. 80
13. 34
14. 144
15. 133
16. 170
17. 108
18. 144
19. 38
20. 60
21. 162
22. 160
23. 85
24. 190
25. 96

26. 133
27. 64
28. 60
29. 144
30. 68
31. 40
32. 190
33. 85
34. 96
35. 126
36. 144
37. 95
38. 72
39. 40
40. 170
41. 48
42. 162
43. 152
44. 120
45. 119

Page 86
1. 85
2. 120
3. 72
4. 144
5. 190
6. 36
7. 160
8. 112
9. 57
10. 119
11. 40
12. 152
13. 48

14. 102
15. 72
16. 80
17. 171
18. 180
19. 119
20. 200
21. 76
22. 36
23. 85
24. 160
25. 144
26. 102
27. 48
28. 144
29. 140
30. 171
31. 48
32. 40
33. 190
34. 90
35. 102
36. 72
37. 180
38. 68
39. 80
40. 38
41. 119
42. 144
43. 120
44. 190
45. 48

Page 87
1. 85

2. 27
3. 91
4. 27
5. 60
6. 128
7. 42
8. 110
9. 10
10. 10
11. 180
12. 114
13. 80
14. 108
15. 80
16. 98
17. 24
18. 12
19. 20
20. 56
21. 12
22. 72
23. 108
24. 64
25. 100
26. 35
27. 12
28. 120
29. 6
30. 60
31. 117
32. 140
33. 90
34. 114
35. 68

36. 22
37. 9
38. 56
39. 160
40. 10
41. 170
42. 162
43. 54
44. 40
45. 14

Page 88
1. 48
2. 54
3. 100
4. 16
5. 96
6. 99
7. 40
8. 30
9. 49
10. 24
11. 10
12. 30
13. 63
14. 30
15. 153
16. 80
17. 78
18. 56
19. 190
20. 16
21. 27
22. 57
23. 120

24. 40
25. 98
26. 120
27. 14
28. 25
29. 6
30. 160
31. 72
32. 88
33. 42
34. 81
35. 52
36. 20
37. 180
38. 102
39. 57
40. 27
41. 96
42. 16
43. 126
44. 50
45. 64

Page 89
1. 80
2. 32
3. 10
4. 117
5. 12
6. 170
7. 66
8. 21
9. 45
10. 14
11. 171

12. 12
13. 80
14. 56
15. 150
16. 36
17. 108
18. 56
19. 60
20. 63
21. 136
22. 190
23. 42
24. 12
25. 72
26. 20
27. 16
28. 70
29. 150
30. 60
31. 40
32. 14
33. 18
34. 54
35. 144
36. 80
37. 130
38. 99
39. 70
40. 36
41. 18
42. 80
43. 24
44. 91
45. 12

Page 90
1. 80
2. 18
3. 77
4. 72
5. 152
6. 90
7. 72
8. 9
9. 40
10. 36
11. 36
12. 65
13. 30
14. 56
15. 40
16. 136
17. 50
18. 21
19. 112
20. 108
21. 100
22. 77
23. 12
24. 70
25. 32
26. 54
27. 56
28. 84
29. 95
30. 72
31. 136
32. 52
33. 60

34. 30
35. 15
36. 20
37. 21
38. 18
39. 24
40. 90
41. 100
42. 120
43. 18
44. 21
45. 80

Page 91
1. 16
2. 66
3. 20
4. 90
5. 98
6. 80
7. 15
8. 24
9. 135
10. 24
11. 57
12. 54
13. 36
14. 160
15. 85
16. 20
17. 91
18. 56
19. 84
20. 56
21. 16

22. 30
23. 120
24. 102
25. 27
26. 32
27. 45
28. 104
29. 14
30. 16
31. 95
32. 120
33. 81
34. 50
35. 54
36. 77
37. 80
38. 50
39. 24
40. 27
41. 77
42. 20
43. 72
44. 36
45. 60

Made in the USA
Middletown, DE
09 November 2019